류시화 산문집

삶이 나에게 가르쳐 준 것들

푸른숲

나의 벗 구도자들에게
그리고 나의 아들 미륵에게

집이 없는 자는 집을 그리워하고
집이 있는 자는 빈 들녘의 바람을 그리워한다.
나 집을 떠나 길 위에 서서 생각하니
삶에서 잃은 것도 없고 얻은 것도 없다.
모든 것들이 빈 들녘의 바람처럼
세월을 몰고 다만 멀어져 갔다.
어떤 자는 울면서 웃을 날을 그리워하고
웃는 자는 또 웃음 끝에 다가올 울음을 두려워한다.
나 길가에 피어난 꽃에게 묻는다.
나는 무엇을 위해서 살았으며
또 무엇을 위해서 살지 않았는가를.
살아 있는 자는 죽을 것을 염려하고
죽어가는 자는 더 살지 못했음을 아쉬워한다.
자유가 없는 자는 자유를 그리워하고
어떤 나그네는 자유에 지쳐 길에서 쓰러진다.

—서문을 대신하여,
류시화 1994년 봄

제1부
삶이 나에게 가르쳐준 것들

나에게로 떠난 첫 여행

나의 첫번째 명상체험

지금은 자정이 훨씬 넘은 시각이다. 사람들도 대부분 잠이 들고
정원의 새들도 조용하다. 나와 한 집에서 사는 강아지 '궁금이'도
잠이 든 것 같다.

나는 불을 켜고 책을 읽는다. 이 시간이 나에게는 더없이 좋다.
전화도 걸려오지 않고, 이런 시간에는 음악의 스위치도 꺼놓아서
나는 아무것에도 방해받지 않는다. 낮 동안의 사념들도 나를 방해
하지 않는다.

내가 사는 집은 산 중턱의 약간 높은 위치에 있어서 방의 창문으
로 아래쪽 집들이 여럿 보인다. 대부분의 창문들은 불이 꺼져 있
다. 휴식의 시간. 홀로 켜 있는 내 불빛을 보고서 창문으로 날벌레

들이 날아 들어와 맴을 돈다. 몇 마리는 내 펼쳐진 책장 위로 떨어져 죽는다. 그 날벌레들이 종이 위에 떨어지면서 내는 소리를 나는 듣는다. 문득 더욱 고요해진다.

　나는 이 세상에 와서 언제 최초로 '명상'이라는 것을 체험했을까?

　돌이켜 보면, 아마도 그때가 열 살 무렵이었던 것 같다. 어느 겨울날 나는 집의 심부름으로 저녁 늦은 시간에 이웃 마을에 가야 했다. 눈이 내리고 있었다. 어둠과 눈에 덮여 길이 조금씩 지워지고 있었다. 나는 약간 무서웠다. 길가에는 집들도 별로 없었으며 그 시간에 그곳을 걷는 것은 나 혼자뿐이었다.

　말 그대로, 나는 갑자기 혼자가 되었다. 새와 짐승들도 자기들만의 장소로 숨고 사람의 발길도 끊어진 그곳을 나 혼자 걷고 있었다. 그 어느 순간 나는 문득 눈 내리는 소리를 듣게 되었다. 그전까지는 눈이 내리면서 소리를 낸다는 것을 생각해 본 적이 없었다. 어둠이 깔리고 인적이 끊어진 그 길에서 나는 심부름으로 가져가는 떡 꾸러미를 들고 서서 이 세상에 태어나 처음으로 눈 내리는 소리를 듣게 되었다.

　나는 그렇게 걸음을 멈추고 서서 한참동안 눈 내리는 소리에 귀를 기울였다. 나는 무서움을 잊었다. 내 안에 있던 무서움은 어느새 사라지고 눈 내리는 소리는 나를 어떤 알 수 없는, 무척 편안한 내면 세계로 인도했던 것 같다. 물론 '내면 세계'라는 말 자체가 그때 내가 체험한 그 낯설고 편안한 공간을 제대로 표현할 수는 없지만.

　겨울의 그 적막한 길에서 들었던 눈 내리는 소리, 내 기억에 그것이 나의 첫번째 명상 체험이었다. 훗날 나는 책을 통해 많은 신비가들이 그러한 체험을 이야기하고 있음을 알았다.

아름다운 기도

한 가톨릭 신부가 있었다. 그는 신에 대한 헌신이 깊었으며 아름다운 기도를 하기로 이름이 났다.

어느날 밤 그가 책상 앞에 무릎을 꿇고 앉아서 기도를 드리는데 바깥에서 개구리들이 시끄럽게 울어대기 시작했다. 여름날 논과 습지에서 울어대는 개구리 소리는 마치 합창 경연대회를 하는 것 같았다.

개구리들 때문에 정신이 산란해져서 기도를 드릴 수 없게 된 신부는 화가 나서 창밖을 향해 소리쳤다.

"조용히 해, 개구리들아! 내가 지금 신에게 기도를 드리고 있단 말야!"

신부는 오랫동안 수행을 쌓았고 영적 능력이 뛰어났기 때문에 그 명령을 듣자 개구리들이 당장에 울음을 그쳤다. 또한 다른 벌레들도 겁을 먹고 소리를 죽였다.

주위가 고요해지고 신부는 다시금 한껏 경건한 마음으로 신에게 기도를 드리기 시작했다. 그때 그의 마음 안에 어떤 눈부신 빛이 나타났다. 그 빛은 바로 신이었다.

신부는 자신의 기도에 응답하여 신이 자기에게 나타난 것에 대해 황홀감을 감출 수 없었다. 그때 신이 신부에게 말했다.

"불쌍한 신부여, 나는 조금전까지 편안한 마음으로 자연이 나에게 드리는 기도를 듣고 있었다. 모처럼 개구리들의 순수한 기도에 귀를 즐겁게 하고 있었다. 그런데 너는 너의 욕망과 바람을 나열하는 그 순수하지 못한 주문으로 내 귀를 어지럽히기 위해서 개구리들을 침묵하게 했다."

신부는 부끄러워졌다. 그래서 눈을 뜨고 창밖을 향해 나지막히 말했다.

"개구리들아, 다시 울어라."

그러자 개구리들은 다시금 한여름밤의 별빛 아래서 목청껏 '신에의 기도'를 노래부르기 시작했다. 신부는 그 개구리들의 울음에 귀를 기울였다. 그리하여 그의 마음이 우주의 알 수 없는 조화를 느끼게 되고 생애 최초로 그는 기도의 진정한 의미를 깨닫게 되었다.

일본의 선승 바쇼(芭蕉)는 또 이렇게 묘사한다.

오래된 연못
개구리
"풍덩!"

주위는 조용하고, 선승은 마루 위에서 졸고 있었다. 그때 개구리 한 마리가 연못으로 뛰어들었다.

"풍덩!"

순간 졸던 자는 사라지고 고요한 그의 내면에 '풍덩' 소리가 물결쳤다. 그 울림을 통해서 그는 무엇과 만났을까? 그의 '마음의 눈'은 무엇을 보았을까?

신이 내 안에 들어오다

그 겨울녘 눈 내리는 밤길에서의 체험은 나의 가장 순수했던 기도와 명상의 체험이었음을 훗날 나는 알게 되었다. 나무, 들판, 길 위에 눈발이 떨어지는 소리를 통해서 나는 존재의 '어떤 무엇'과 만났다고 감히 말할 수 있다. 그것은 늘 외부로만 열려 있던 내 감각이 내부로 달아나 잠잠해지는, 그리하여 황홀한 어떤 것과의 만남이었다.

네덜란드의 어느 화가 역시 어느날 문득 듣게 된 눈 내리는 소리에서 최초의 명상 상태에 몰입할 수 있었다고 고백하고 있다. 명상이란 결국 내가 사라져서 자연과 존재와 하나가 되는 일이라고 한다면, 기도 역시 어떤 의미에선 마찬가지다. 그것은 내가 사라져서 신이 내 안에 들어오는 일이다.

한 사람이 신비가를 찾아와서 말했다고 하지 않은가.

"나는 신과 하나가 된 상태를 체험하고 싶습니다. 그러나 세상의 소음들이 그것을 방해합니다."

그러자 그 신비가는 말했다.

"신을 체험하려면 네가 사라져야 하고 네가 있으면 신이 네 안에 들어올 수 없는데, 네가 어떻게 신과 하나가 되는 체험을 할 수 있겠는가? 가장 큰 방해는 세상의 소음이 아니라 바로 너 자신이다."

물론 이 신비가가 '너'를 강조했음은 두말할 필요가 없다.

지금은 자정이 넘은 시간, 어디선가 물 떨어지는 소리가 가끔씩 들리고 바람이 내 집 뒤에서부터 불어와 나무를 흔든다. 이 시간 다시금 나는 혼자다. 내 펼쳐 놓은 책장 위로 벌레들이 떨어지는 소리를 듣는다. 이것들은 나에게 무엇을 속삭이고 있단 말인가? 삶의 허무? 아니면 예기치 않은 순간에 밀려왔다가 한숨지며 가버리는 깨달음들?

귀 속의 바람

　한때 인도의 음악이 나를 사로잡은 적이 있었다. 그 대나무 피리
와 현악기 시타르의 울림이 바람처럼 온통 내 귀를 채웠었다. 다른
아무것도 내 귀에 들어오지 않았다. 그 '귀 속의 바람' 때문에 나
는 늘 머리가 뜨거웠다.

　인도, 까닭없이 내 머리를 뜨겁게 하던 나라……인도 여행 중에
나는 운 좋게도 인도 대피리 연주의 일인자 하리 프라사드와 시타
르 연주의 세계적 거장 라비 샹카의 연주회를 이틀에 걸쳐 들을 수
있었다. 어느 허름한 학교 운동장에서 밤 열시에 시작해서 다음날
아침 열시에 끝난 그 가슴벅찬 '귀 속의 바람'을 내 어찌 잊을 수
있단 말인가? 악기의 줄을 고르는 데만 두어 시간이 걸렸다. 내
가 나를 잊게 하던 피리의 가락과 현의 울림, 살아온 날들이 쉽지
않았음을 위로하고 내 안의 바람을 잠재우던 그 음들, 눈부신 손가

락이 만들어 내는 저 회한과 떨림, 나를 괴롭혔던 만남과 헤어짐들 사이로 파고드는 피리의 현란한 곡조, 아아, 살아오면서 때로 우리는 서로 가까이 있음을 견디지 못했고, 때로는 서로 멀어져 감을 두려워하지 않았던가?

아침이 되어서 나는 연주회장을 떠나 갈 곳 없이 인도의 들판을 헤매었다. 뜨거운 태양, 가끔씩 서 있는 키 큰 보리수 나무말고는 풀포기조차 없는 들판, 먼지 묻은 맨발의 나를 그 음악이 계속 따라왔었다. 아니, 아직도 그 음악은 내 귀 속에서 바람을 불게 하고 있다.

밤 깊은 시각, 그 '귀 속의 바람'처럼 지금 이 벌레들이 고요함 속에서 나에게 무언가를 말하고 있다. 중세의 철학자 스피노자가 말했다는 '만물 속에 편재해 있는 그것'의 소리를 지금 나는 듣고 있는 것일까?

'만물 속에 편재해 있는 그것'은 자연의 소리말고 우리와 대화할 다른 언어를 갖고 있지 않다. 눈 내리는 소리로, 빗소리로, 지금도 창밖에 스쳐 지나가는 저 바람소리로, 그리고 개구리 울음소리로 그것은 우리에게 말을 걸고 있다. 때로는 이 책장 위에 떨어져 죽으면서 내는 날벌레들의 소리로. 그리고 때로는 소리 없는 소리로. 침묵으로.

그것을 불교의 어떤 경전에서는 "무정물(無情物)의 설법을 들으라"고 했다. 무정물이란 돌, 모래, 별 같은 것들이다.

지금은 깊은 밤. 어느새 두시가 지났다. 어디선가 다시 바람에 물이 비껴서 떨어지는 소리가 들린다. 낮 동안에 내가 스쳐 지나간 사람들은 지금 무슨 꿈을 꾸고 있을까? 삶이란, 흔히들 말하는 대로 지금 전등불에 와서 부딪치는 이 벌레들처럼 덧없는 것일까? 아니, 그러한 덧없음을 느낄 겨를도 없이 우리는 그저 삶의 물결에 휩쓸려만 가는 것일까?

그리하여 우리가 진정으로 얻는 것과 잃어 버리는 것은 무엇인가?

동양의 한 선사가 임종을 맞이했다. 제자들과 신도들이 그의 마지막 말을 기다리며 조용히 주위에 앉아 있었다. 그러나 선사는 시간이 지나도 아무런 말을 하지 않았다.

그의 죽음을 지켜보기 위해 방문한 다른 선사가 그에게 말했다.

"여보게, 죽기 전에 제자들에게 무언가 말을 남겨야 할 것이 아닌가? 왜 침묵을 지키고 있는가?"

그러자 죽어가던 선사는 손가락으로 집의 지붕을 손짓해 보였다. 지붕 위에서는 다람쥐 두 마리가 장난을 치면서 뛰어다니고 있었다. 사람들은 문득 고요한 가운데 그 다람쥐들이 찍찍거리는 소리에 귀를 기울였다. 그리고 선사는 조용히 눈을 감았다고 한다.

죽으면서 우리는 과연 무엇을 말할 수 있을 것인가? 저 바람소리를, 저 벌레들 소리를 들으라고 손짓해 보이는 것말고는 무슨 소음을 낼 수 있겠는가?

아버지

다시금 나는 열 살 무렵의 나로 돌아간다. 풀밭에 누워 푸른 하늘을 바라보고 있을 때면 문득 하늘의 어떤 구멍 속으로 내 존재가 한없이 빨려 들어갈 것만 같던 그 무렵, 눈 내리는 소리에 젖었던 다음부터 나는 곧잘 주위에서 들리는 소리들에 귀를 기울이곤 했다. 그 소리들은 단순한 소리가 아니라 침묵을 깊게 하는 소리들이었다.

이것을 고백해야 할까? 사실 내가 가장 행복하고 편안했던 순간들이 그런 순간들이었다. 까닭없이 해명할 수 없는 어떤 두려움과 허무가 어린 나를 덮어누를 때, 또는 내가 어디서 왔으며 어디로 갈 것인가에 전율할 때, 마치 애벌레가 나비로의 변신을 알지 못하고 떠는 두려움 같은 것이 내 앞에 가로놓일 때, 그때마다 침묵을 깊게 해주던 그 소리들은 나를 시간도 아니고 공간도 아닌 곳으로 데려가 주었다. 너무 조숙했던 탓일까? 아니면 전생에 알아진 것들을 다시 잃어 버린 막막함 때문이었을까?

강물이 작은 돌들에 부딪치며 흐르는 소리, 떨어지는 나뭇잎의 속삭임, 이파리에 붙었다가 껍질을 내던지는 어린 매미의 소리, 바람에 덧문이 여닫히는 소리, 그것들에 귀 기울이면서 나는 '내 안에 있는 또다른 나'를 만날 수 있었다.

사실 지금에야 말하건대, 나에게 '내 안에 있는 또다른 나'를 알게 해준 최초의 스승은 나의 아버지였다.

아버지는 명상가였다. 달리 그에게 갖다 붙일 직업이 없었다. 나쁘게 말하면 무위도식이고, 좋게 말하면 무위자연의 삶을 아버지는 살았다.

아버지는 낚시꾼이었다. 내가 태어나서부터, 그러니까 일본에서 살다가 돌아온 40세 이후부터 아버지가 한 일은 강에 나가 낚시에 열중한 것뿐이었다. 그렇다고 그것으로 생계를 잇고자 하는 것도 아니었다. 어머니 혼자서 우리 식구를 먹여 살려야 했다. 아버지는 잡은 물고기도 집으로 오는 길에 남에게 주어 버리고, 때로는 그냥 강가에 우두커니 앉아만 있다가 돌아오는 것이 예사인 듯했다.

그러면서 아버지는 자식들에게서, 그리고 차츰 세상으로부터 멀어지고 무관심의 경지에 이르렀다. 자식들이 무엇을 물어도 아버지는 그냥 그 무관심의 표정으로 한없이 멀게 바라보기만 했다. 그 표정에 아무런 관심의 기미가 보이지 않았다. 모든 것을 마치 흐르는 강물을 바라보듯, 아니면 물결 속에서 일렁이는 찌바늘을 바라보듯 아버지는 우리를 바라보고 세상을 바라보았다.

아버지는 그렇게 삼십 년 동안을 낚시로만 생을 보냈다. 그러다가 죽었다.

아직도 잊혀지지 않는다. 어느날 아직 어렸던 나는 아버지가 낚시를 하고 있는 강으로 나간 적이 있었다. 강둑을 내려가면서 나는 갈대숲에 아버지가 마치 부처의 모습처럼 앉아 있는 것을 보았다. 물론 아버지는 너무도 여러 해를 강가에 앉아 있었기 때문에 허리가 잔뜩 굽었고 얼굴은 햇볕과 강바람에 그을려 늘 검은색이었다. 그러나 어린 내 눈에도 아버지의 그 존재가 무척 낯설고 신비하게 느껴졌다. 감히 방해할 수 없는 어떤 기운이 아버지를 감싸고 있었다.

따라서 내 기억에 남아 있는 아버지의 모습은 낚시도구를 들고서 이른 아침과 저녁 늦은 시간에 대문을 드나들던 그 모습이 아니다. 갈대숲에 부처처럼 앉아 있던 그 허리 굽은 모습이 아버지의 모습이다.

나는 강둑을 내려가 아버지 곁에 앉았다. 아버지 앞에 드리워져 있는 두세 개의 낚싯대, 잔잔한 물결, 반쯤 자란 갈대 줄기들, 그 사이로 오락가락하는 물잠자리……

어느 사원의 벽에는 기도의 규칙으로 "말을 해서는 안 된다"라는 것 대신에 이런 문장이 적혀 있다고 한다.

"침묵에 보탬이 되는 말 외에는 말을 하지 말라."

그때 나는 침묵을 깨고 아버지에게 물었다. 내가 늘 궁금해 온 것이었다.

"아버지는 낚시를 하면서 무엇을 생각하세요?"

아버지가 나를 돌아보았다. 나는 웬지 숨이 멎을 것 같았다. 나를 돌아보는 아버지의 얼굴에 어떤 거부할 길 없는 광채가 서려 있는 것 같았다. 그것이 무슨 광채였을까? 아직도 나는 모른다. 그것이 무슨 빛이었을까? 나는 모른다.

아버지가 아주 낮은 목소리로 나에게 말했다.

"너는 물이 말하는 소리를 들어 보았니? 자, 그곳에 앉아서 가만히 귀를 기울여라. 그러면 강물이 너에게 하는 말이 들릴 것이다."

얼마나 이상한 아버지와 아들이었던가! 그날 소들이 여기저기서 풀을 뜯고 사람들이 두세 명 자전거를 타고 강둑을 지나가며 가끔 비행기가 구름 한 점 없는 하늘에 떠가는 그곳에서 아버지와 아들은 '강물이 말하는 소리'에 귀를 기울이고서 반나절 이상을 앉아 있었다.

> 조용하게 앉으라.
> 그리고 그 안에서 누가
> 너의 생각을 관찰하고 있는가를 찾아보라.
> 주의깊게 바라보면
> 네 속에서 또 하나의 나를 발견하게 되리라.
> 그를 주의깊게 관찰하고 이해하려 노력한다면
> 바로 앞으로 확연하게 드러나리라.
> 그렇게 안을 들여다보라.
> 네 속의 또 하나의 나를 찾으라.
> 그러면 완성이 가까우리라.
> ──묵타난다

시간이 멈추고, 아버지와 나는 이 세상 사람이 아니었다. 우리는 어떤 다른 공간에 앉아 있는 듯했다. 그때가 여름철이었던가, 농부들이 강둑 너머의 논밭에서 땀 흘리며 일하는 그 시간에 아버지와 나는 전혀 먹고 사는 일에 도움이 되지 않는 경험에 몰입해 있었다.

그것은 나에게 최초로 가장 깊이 다가왔던 내적인 경험이었다. 처음에는 긴장되고 불편했던 침묵이 차츰 나를 편안하게 했다. 나는 눈을 가늘게 뜨고서 수면 위를 주시했다. 내 호흡도 가늘어지고 길어졌다. 물 흐르는 소리, 벌레소리, 갈대들이 한숨지으며 눕는 소리……갑자기 내 안이 확 밝아지는 듯했다. 그리고 그 안에서 나는 '또 하나의 나'를 보았다.

성철 스님은 그것을 이렇게 말했던가?

"고요하면 맑아지고, 맑아지면 밝아지고, 밝아지면 보인다."

아버지가 나에게 들으라고 한 '강물이 말하는 소리'는 다름 아니라 '내 안의 또 하나의 나'의 소리를 만나라는 것이었다고 나는 해석한다. 그것을 기독교에서는 '내적 실현(Inner Realization)'이라 하고 불교에서는 '불성(佛性)의 자각'이라고 하던가?

나에게 물질적인 것은 그야말로 아무것도 해준 것이 없지만(아버지는 돈이 없었기 때문에 자식들에게 양말 한 켤레 사주지 못했고 또 그런 일에 무관심했다) 아버지는 최초로 나에게 또다른 나, 본질적인 나, 불교에서 말하는 본래의 자기 얼굴을 깨닫게 해준 스승이었다.

그 아버지가 나는 그립다.

어느 화창한 봄날 스페인의 화가 엘 그레꼬의 집에 한 친구가 방문했다. 엘 그레꼬는 커튼을 무겁게 치고 방안에 혼자 앉아 있었다.

친구가 말했다.

"바깥으로 나가서 햇빛 구경을 좀 하게나."

엘 그레꼬가 그에게 대답했다.

"나중에 그렇게 하지. 지금은 내 안에서 빛나고 있는 빛이 더 밝아."

그렇다. 아버지가 나에게 보여준 그 빛은 밝기가 외부의 빛에 비교할 바가 아니었다. 그 빛의 평화로움은 내가 노력해서 얻은 어떤 평화로움에 비할 바가 아니었다. 어찌 보면 그 이후 철이 들면서부터 내가 추구한 것은 모두 아버지가 그때 나에게 일깨워 준 그 내면의 빛으로 돌아가려 함에 다름아니었다.

낚시꾼이 아니라 명상가였던 아버지, 마을 사람들의 눈에 낚시에 미친 양반으로 비쳤지만 감히 침범할 수 없는 어떤 존재의 무게를 지녔던 아버지, 자주 나는 그가 그립다.

눈을 감고 세상을 보다

절대의 미소

한 늙은 선승이 눈이 멀어서 책을 읽을 수도 없고 그를 찾아오는 사람들의 얼굴도 알아볼 수 없었다고 한다. 선승의 제자 중에 심령 치료가가 있었는데, 그가 선승에게 말했다.

"저에게 맡기십시오. 제가 눈을 치료해 드리겠습니다."

선승은 고개를 저었다.

"그럴 필요가 없네. 나는 '볼 필요가 있는 것'은 다 보고 있다네."

누군가의 말대로 눈을 감고 있다고 해서 모두 졸고 있는 것은 아니며, 눈을 뜨고 있다고 해서 '볼 필요가 있는 것'을 보고 있는 것은 아니다. 얼마전 세상을 떠난 한국의 어떤 선승은 늙어서 모든 감각기능을 상실하여 보고 듣고 냄새 맡는 일이 불가능했다. 오직 그에게 남은 감각은 손바닥 안의 연한 살뿐이었다. 그래도 그는 마당에 서서 내리는 비를 손바닥으로 맞는 것만으로도 지금쯤 어디서 어느 꽃이 피는가를 알았다고 하지 않은가.

오히려 눈을 감아 외부의 것을 조용히 시킬 때 밝아진다. 그것이 기도이고 명상이다. 눈을 감고 앉으면 더 밝아지는 것.

다시 인도. 그 인도의 어느 마을에 잠시 머물렀을 때 나는 이른 새벽이면 강가로 나가곤 했다. 새들이 그곳에 있었다. 가슴을 두근거리게 할 만큼 수많은 새들이. 모두들 어디서 날아왔을까? 텃새들일까, 아니면 나그네새들일까? 그리고 희미한 새벽 햇살 속에서 목욕을 하는 남루한 수도승들, 아직 잠에서 뒤척이는 걸인들도 있었다. 나는 아직도 잊을 수 없다. 내 발밑에서 피어오르던 그 물안개.

물안개는 곧 떨어질 망고나무 꽃처럼, 또는 사라질 꿈처럼 발밑에서 피어올라서는 내 머리카락을 적시고 허공으로 사라져가는 것이었다. 중국에서는 안개를 '끊임없이 변화하는 현상계를 감싸고 흐르는 저 절대의 미소'라고 표현하지 않았던가.

어느날인가는 그 강가의 화장터에서 일하는 화부를 보고 너무도 놀란 적이 있다. 나무들의 모퉁이를 지나 강 쪽으로 내려가면서 나는 한 사람이 저만치 앉아 있는 것을 보았다. 아니, 앉아 있었다기보다 그는 다리를 엉덩이 아래까지 땅 속에 파묻고 서 있었다.

희미한 햇살 속에서 나는 그를 요가 수행자인 것으로 생각했다. 목까지 땅 속에 파묻고 몇 시간씩 있는 요가 수행자들도 보았으니까 그러한 생각도 무리는 아니었다. 가까이 다가서는 순간 나는 자

신도 모르게 소리를 지르고 말았다. 그는 엉덩이 아래 부분이 잘려져 나가고 없었던 것이다. ˇ

이른 새벽이면 나는 그 다리 잘려져 나간 화부가 있는 강가로 물안개를 보러 나가곤 했다. 그곳의 지명은 봄베이 근처의 '뿌나'라는 곳이었다. 그때가 1989년 10월이었던가, 나의 스승이 그곳에 살아 있었다. 나는 그를 만나러 그곳까지 갔었다. 그밖에 내가 무슨 말을 더 할 수 있겠는가?

시간도 사라지고 공간도 사라진 것 같은 그 강가, 꿈마저 시들어 버리고 텅 빈 내면의 하늘 속으로 낯선 새들이 날개짓하며 날아 오르던 그곳, 아침마다 나는 그곳에 앉아 있곤 했다. 이따금 나를 일깨우던 것은 강가의 화장터에서 불태워지는 죽은 자의 시체, 그 연기, 망고나무 아래로 흘러가던 그 장례의 행렬……

그곳에서 나는 무엇을 보았던가? 발 밑에서 그 모든 것을 감싸고 피어오르는 희뿌연 물안개는 나에게 무엇을 말하고자 했던가? 나를 손짓하던 알 수 없는 그것은 무엇이었던가?

얼마 후 내 스승은 죽어서 그곳의 화장터에서 한 줌 재가 되어 사라졌다.

눈을 감고 듣는 삶

다시금 나는 어렸을 때의 그 체험으로 돌아간다. 그 순수 존재 상태로. 삶을 살면서 내가 자주 잊어 버리지만 문득 내가 홀로 있을 때 다시금 나를 찾아와 내 귀에 무엇인가를 속삭여 주는 그 순간들 속으로.

한 승려가 있었다. 어느날 참선 수행중에 그는 잠시 절 마당에 나왔다가 문득 새소리에 귀를 기울이게 되었다. 전에 그는 한 번도 새소리에 귀를 기울였던 적이 없는 것 같았다. 그는 새소리에 한동안 자기를 잃어 버렸다.

그는 다시 선방으로 참선 수행을 하러 들어갔다. 그런데 이상하게도 선방 안에는 온통 낯선 승려들뿐이었다. 그 승려들도 이 승려를 알아보지 못하는 것이었다.

그것은 그가 새소리에 몰입해 있는 동안 시간을 초월했기 때문에 어느새 몇백 년이 흘러가 버렸기 때문이었다.

어느 시인의 말대로 한때 이 지상에는 숲이 우거져서 새들이 지저귀고 밤이면 풀벌레들이 시끄럽게 울어댔다. 사람들은 누구나 그 속에서 '은밀한 중에' 신과 만날 수 있었다. 형식적인 기도라는 것이 따로 필요없었다. 자연 속에서 홀로 신과 만나는 것이 곧 기도였다. 풀 속에도, 돌 속에도 신이 있었다.

그러나 우리 모두가 알다시피 얼마 안 가서 무지(無知)의 시대가 오고 인간들은 강을 없애고 숲을 파괴하여 높은 건물들과 도로를 만들었다. 그래서 우리는 잃어 버린 신을 되찾기 위해 숲의 나무들을 베어 절을 세우고 돌을 다듬어 교회를 세운 뒤 그 안에 들어가 열심히 신의 이름을 외우기 시작했다. 기도와 염불 소리가 하늘을 채우고 찬송이 쉬지 않고 흘러나왔다.

그러나 신은 갈 곳을 잃었다고 그 시인은 말한다.

나는 내 이야기를 하고 싶다. 남이 나에게 들려준 것이 아닌 내 삶의 체험은 어떠했는가?

철이 들면서부터 나는 종교에 눈뜨게 되었다. 경험적으로나 선험적으로 우리가 삶에 절망할 때, 어느날 어느 순간에 삶의 덧없음의 정체를 눈치채 버렸을 때 우리가 찾는 것이 종교다. 지는 잎사귀들, 알을 깨고 나오는 벌레들, 또는 누구의 갑작스런 죽음이 우리를 흔들리게 하고 흔들릴 때마다 우리는 종교를 생각한다.

그러한 순간들이 내게는 많았다. 삶을 미처 살아 보기도 전에 삶의 정체를 모두 알아 버린 것 같은 상태가 나를 찾아오곤 했다. 마치 입맛을 잃어 버린 것과 같았다고나 할까?

그러나 솔직히 말하건대 여러 종교를 거치면서 나는 진정한 기도를 드려본 적이 없었다. 부끄럽지만 그것은 사실이다. 절이나 교회에 앉아서 기도드릴 때마다 나는 위선적이 되어 버리고 남이 만든 기도를 흉내내는 자신을 발견했다. 그리하여 내가 만나는 신도 남이 만든 신이었다. 그리고 그 신은 허구의 신이라는 것을 나는 차츰 깨닫게 되었다.

세상의 종교는 나에게 길을 가르쳐 주지 않았던 것 같다. 오히려 길을 잃고 헤매게 만들 뿐이었다. 그 헤매임에서 벗어나는 것이 더욱 힘들었다고나 할까.

명상과 기도란 철저히 개인적인 것이어야 함을 그때는 아무도 나에게 가르쳐 주지 않았다. "너희는 은밀한 중에 기도하라. 기도할 때 너희는 절대로 위선자처럼 행동하지 말며 사람들에게 보이기 위해 거리 어귀에서 큰 소리로 기도하지 말고 이방인들처럼 중언부언하지 말라. 다만 골방에 들어가 문을 닫고 은밀한 중에 계신 네 하나님을 만나라"는 예수의 말을 설교중에 내게 읽어 준 어느 목사조차도 설교가 끝난 뒤 아주 '공식적인' 기도를 올리곤 했다.

밤 깊은 시간, 물소리와 나무를 흔들고 지나가는 바람소리, 별과 어둠의 소리, 이 시간이 나에게는 진정한 기도의 시간이다. 나는 아무것도 기도드리지 않는다. 다만 들을 뿐이다. 그리고 신도 내 안에서 듣고 있다. 중세의 신비가 마이스터 에크하르트의 "신은 내가 신을 바라보는 바로 그 눈으로 나를 바라보고 계신다"라는 말을 내 식으로 바꾸면 이렇다.

"신은 내가 신의 말을 듣는 바로 그 귀로 내 말을 듣고 계신다."

나의 아버지가 강가에서 나에게 들려주었음직한 말이 아닐까?

시인의 여행

나는 북극성에서 왔다

나는 북극성에서 왔다.

어려서부터 나는 그렇게 믿었다. 누가 그것을 가르쳐 준 것도 아
니고 물론 학교에서 배운 것도 아니었다. 어느날 그냥 그 사실을
알게 되었다.

봄날의 밤이면 특히 그 별이 내 머리 위에서 빛나곤 했다. 그러
면 알 수 없는 신비의 힘이 느껴졌다. 그 별은 '나의 별'이었다.

아주 어렸을 적에 나는 이런 시를 지은 적이 있다.

> 하늘에는 수없이 많은 별들
> 땅에는 수없이 많은 사람들

그래, 별들만큼 사람이 많은 것은
우리가 저마다 다른 별에서 왔기 때문이지

나는 내가 모르는 많은 사실들을 그 별에게서 얻었다. 때로 고요한 명상상태에 들어가 그 별과 교감하면 나는 시간을 초월한 많은 지식을 얻을 수 있었다. 잠을 자면 곧잘 육체이탈을 해서 그 별에 가곤 했다. 또한 삶이 힘들고 고달플 때마다 그 별을 생각하는 것이 나에게는 큰 위안이었다. 미국에 있을 때도 그랬고 인도의 들판에서 잠들 때나, 또 일본의 뒷골목을 걸어갈 때도 그 별이 항상 나를 지켜봐 주었다. 그 별을 생각하면 어디서나 나는 편안했다.

나는 북극성에서 왔다. 북극성에서 온 사람들은 특히 시와 음악과 그림을 좋아한다. 내가 이곳에 온 것은 '지구'라는 이 독특한 별을 경험하기 위해서다. 그것은 나뿐만 아니라 우리 모두가 마찬가지다. 우리 모두는 결국 어떤 다른 별에서 지구에 여행을 온 여행자들이다. 우리 대부분이 잊고 있지만 그것은 사실이다.

한 영적 스승이 제자들에게 물었다.

"언제가 밤이고 언제가 낮인가? 밤과 낮을 구별하는 방법이 무엇인가?"

한 제자가 대답했다.

"멀리 서 있는 동물이 소인지 말인지 구분할 수 없을 때가 밤입니다."

스승은 "틀렸다"고 말했다.

다른 제자가 대답했다.

"멀리 서 있는 나무가 보리수인지 망고나무인지 구분할 수 없을 때가 밤입니다."

스승은 또 틀렸다고 했다.

제자들이 물었다.

"그렇다면 어떻게 밤과 낮을 구분합니까?"

스승이 말했다.

"그대들이 누군가를 바라보면서 그가 동료 여행자라는 사실을 알아보지 못할 때, 그때가 바로 깜깜한 밤이다."

우리가 비록 깜깜한 밤 속에 살고 있긴 하지만 우리 모두가 본래 여행자들이라는 사실에는 변함이 없다. 누구는 아득히 먼 별에서 왔고, 누구는 이 지구에서 수십 번의 생을 거듭하고 있으며, 누구는 또 이제 막 동물계에서 인간계로 넘어왔지만 모두가 여행을 하고 있다는 사실에는 변함이 없다.

우리가 여행온 이 지구라는 별은 여러 가지 면에서 특별하다. 어떤 경로를 거쳐서 왔든지 일단 이곳에 도착하면 우리는 이곳의 관습을 따라야 한다. 그것은 다른 나라에 가서 그 나라의 관습을 따르는 것과 마찬가지다.

무엇보다도 이 지구별에서는 인간의 육체를 하고 태어나야 한다. 그렇지 않으면 물질계 차원의 이 지구에서 생존할 수 없다. 그러기 위해선 부모를 선택해야 하고 어린시절을 거쳐야 한다. 또 이 별의 언어를 배우지 않으면 의사소통이 불가능하다. 이 별은 모든 면에서 친절하다. 우리를 이 별에 적응시키기 위해 학교라는 것도 있고 다양한 교사들도 있다. 지식을 전해 주는 자도 있고 도덕을 가르치는 자도 있다.

그리고 이 별에서는 신발을 신고 다녀야 한다. 그것은 다른 별에선 없었던 일이다. 발이 갑갑하긴 하지만 그래도 우리는 이 지구별의 규칙에 따라 양말과 신발을 신지 않으면 안 된다. 그래서 구두 만드는 일로 생계를 꾸려 나가는 사람도 생겼다. 빵 만드는 자도 있고 술 파는 자도 있다. 짧은 시간에 더욱 많은 것을 경험하도록 자동차를 만들어 파는 자도 있고, 외로운 비행기 조종사도 있다.

이 별에는 얼마나 다양한 인간들이 있는가! 상인이 있고 도둑이 있고 별 관측하는 자도 있고 기후를 재는 자도 있다. 그런가 하면 마술사와 부랑아들과 수도승들이 있다.

랍비 아브라함이 한 부랑아를 초대해 식사를 했다. 식사 도중에 신의 뜻과 은총에 대해 이야기가 나오자 부랑아는 신에게 욕설을 퍼부으면서 은총 따위는 존재하지 않는다고 부정했다.

화가 난 랍비 아브라함은 그 무신론자를 식사 도중에 쫓아냈다.

그날 밤 기도중에 신이 랍비에게 나타나서 말했다.

"나는 지난 오십 년 동안이나 그 친구가 퍼붓는 욕설을 참으면서 날마다 그에게 먹을 것을 제공했다. 그런데 너는 그에게 한 끼의 식사도 줄 수 없단 말인가?"

집착

이 지구 여행에 필요한 기본적인 것들을 갖기 위해서 우리는 여러 가지 직업을 가져야 하고 결혼이라는 것도 하게 된다. 물론 독신 생활을 고집하는 괴팍한 여행자들도 있긴 하지만. 그리고 또 결

36

혼을 통해 새로운 꼬마 여행자가 이 지구에 도착한다. 그런데 여행자는 갈수록 많아지고 직업을 얻기가 힘들어졌다. 말하자면 여행은 둘째치고 생존 그 자체가 힘들어진 것이다.

그리하여 차츰 우리는 우리가 여행자라는 사실을 잊고 생존 그 자체에 몰두하게 되었다. 생존의 불안감을 없애기 위해 더 많은 재산을 모으는 데 열중하게 된 것이다.

이것은 마치 우리가 아프리카의 밀림 속으로 여행을 가는 것과 같다. 그곳의 생활을 체험하기 위해 우리는 밀림 속 토인의 복장을 하고 그들의 언어를 습득한다. 토인들과 어울려서 창을 들고 괴성을 지르며 밀림 속을 뛰어다니는 시늉을 하기도 한다. 즐거운 일이다. 아름다운 원주민 여자와 결혼해서 자식도 낳는다. 그러면서 우리는 차츰 자신이 본래 아프리카 토인이 아니라 동양에서 간 여행자라는 사실을 잊는 것이다. 곧 여행이 끝나고 비행기표가 무효가 되기 전에 그곳을 떠나야 한다는 것을. 그리하여 어떤 자는 추장이 되려고 권력 다툼을 벌이고, 더 많은 토지를 소유하려고 사기를 치며, 또 어떤 자는 보이지 않는 밀림의 신에 대해 학설을 만들어 다른 토인들 위에 군림하기 위해서 노력한다.

우리는 떠나게 되어 있다. 우리에게 주어진 시간도 많지 않다. 이 지구별에서는 우리가 얻은 어떤 물질도, 어떤 명성도 영원한 것일 수 없도록 규칙이 정해져 있다. 또한 떠날 때는 그 모든 것을 놓고 빈 손으로 가야 한다. 가혹한 규칙이 아닐 수 없다. 그러나 규칙은 규칙이다.

그리고 이 우주의 더욱 가혹한 규칙은, 만일 우리가 여행의 목적을 잊어 버리고 여행지에 집착한다면 그 집착이 사라질 때까지 언제까지나 다시 그 장소에 태어나야 한다는 것이다. 그래서 똑같은 일을 되풀이해야 한다는 것이다. 생각해 보라. 다시 또다시 태어나 똑같이 아프리카 토인들과 괴성을 지르며 줄달음질치는 흉내를 내야만 한다는 것을. 신나는 경험은 한 번만으로 족하다. 그것은 국민학교 과정을 마치지 못하면 계속해서 낙제를 해야 하는 것과 같다. 그때 그 여행은 고통스러운 것일 수밖에 없다.

나는 왜 이곳에 왔는가

한 신비가가 제자들에게 다음과 같은 이야기를 들려주었다.

한 왕자가 있었다. 그는 왕자다운 행동을 전혀 하지 않았으며 늘 문제를 일으켰다. 그래서 화가 난 왕은 어떤 방법을 써도 안 되자 그를 바로잡기 위해서 궁정 밖으로 추방시켰다.

궁정을 떠난 왕자는 용서 따위는 구하지 않고서 거리의 술주정꾼과 노름꾼, 창녀들과 어울려 생활하기 시작했다. 그들의 일원이 되었을 뿐만 아니라 서서히 그들의 지도자가 되었다.

여러 해가 흘렀다. 왕은 늙어 죽을 날이 얼마 남지 않았기 때문에 아들을 궁정으로 데려와 왕위를 물려주고 싶었다. 그래서 대신을 아들에게 보냈다.

첫번째 대신은 많은 수행원을 데리고 왕자가 있는 부랑아들의 집단으로 갔다. 그러나 왕자가 아예 대화를 거부했다.

그래서 두번째 대신은 왕자를 설득하기 위해 자신의 신분을 감추고서 마을로 들어가 먼저 그 부랑아 집단과 친해졌다. 그리고 그 자신이 자유를 즐기기 시작했다. 궁정 안에선 전혀 자유가 없었다. 궁정은 마치 감옥과 같았다. 그러나 부랑아들의 집단 속에서는 모두가 자유로웠다. 아무도 서로에게 간섭하지 않았다. 그래서 결국 대신은 자기가 그곳에 온 목적을 잊고 그들과 함께 생활하기 시작했으며 영원히 왕에게로 돌아가지 않았다.

왕은 무척 걱정이 되었다. 이제 달리 방법이 없었다. 그는 세번째 대신을 선택했다. 이 대신은 지혜로웠기 때문에 떠나기 전에 석달간의 여유를 달라고 부탁했다. 그래야만 자신의 임무를 수행하러 떠날 수 있다는 것이었다.

왕이 물었다.

"무엇을 준비하기 위해선가?"

그 대신이 대답했다.

"내 자신을 잊지 않기 위해서입니다."

왕의 허락을 받은 대신은 한 스승을 찾아갔다. 늘 깨어 있는 마음을 갖는 수행을 하기 위해서였다. 두번째 대신이 실패했던 것은 자기 자신을 기억하지 못했기 때문이었다. 그래서 세번째 대신은 스승에게 말했다.

"내가 내 자신을 기억할 수 있도록 도와 주십시오."

그래서 그는 그 스승 밑에서 자기 자신을 기억하는 수행을 석달간 계속했다. 그 다음에 그는 왕자를 만나기 위해서 떠났다.

그는 두번째 대신과 똑같이 행동했다. 수행원도 거느리지 않고 평범한 농부의 복장을 하고서 마을로 들어간 그는 술주정뱅이 흉내를 내기 시작했다. 그들 집단과 하나가 되어 술을 마시는 흉내를 내었고 노름하는 흉내를 내었다. 심지어 한 창녀와 사랑에 빠지는 흉내까지 내었다. 그러나 그것은 어디까지나 흉내였다. 그는 절대로 자기 자신을 잊지 않았다. 그는 늘 스스로 이렇게 물었다.

"나는 누구인가? 나는 왜 이곳에 왔는가? 무엇을 위해서?"

그는 끊임없이 자기 자신을 지켜보았으며, 그리하여 마침내 목적을 달성할 수 있었다.

우리는 서로 다른 별에서 이 지구별로 여행을 왔다. 이 별에서는 모든 의식이 중력의 지배를 받고, 또 시간과 공간의 제약을 벗어나지 못한다. 그 제약을 잊기 위해 사람들은 많은 기구와 오락들을 만들었지만, 결국 우리가 무의식 중에서도 잊지 못하는 것은 우리가 어디선가 왔으며 어딘가를 향해 가고 있는 도중이라는 사실이다.

그것을 일깨워 주기 위해 다른 별과는 달리 이 지구에는 종교라는 제도가 생겨났다. 종교란 결국 우리가 여행자라는 사실, 그리고 어딘가를 향해 가고 있다는 사실을 우리 스스로 자각하게 하는 것 외에 다른 것이겠는가?

그러나 슬프게도 이 별에 거주하는 사람들은 습관적으로 제도라는 것을 좋아한다. 미지의 불안한 여행에 있어서 제도는 편안함을 주기 때문이다. 그래서 지구상에는 사람수만큼 많은 종교가 존재하게 되고 종교 역시 다른 세속적인 것들과 마찬가지로 우리에게 심리적인 위안을 주면서 오히려 배타적인 믿음을 심어 주는 것이 되어 버렸다.

자유를 잊어 버린 자유인

한 사람이 친구를 방문했다. 그 친구는 산속 깊은 골짜기에서 살고 있는 농부였다. 친구의 집 근처에 이른 그 사람은 어떤 놀라운 광경을 목격했다.

일 마일쯤 떨어진 곳에 작은 들판이 펼쳐져 있었다. 그런데 한 가지 이상하고 영문을 알 수 없는 일이 그 들판에서 일어나고 있었다. 들판에는 수천 마리의 날짐승들과 들짐승들이 떼를 지어 모여 있었다. 수천 마리가 넘었다. 너무 많아서 숫자를 헤아릴 수도 없었다. 그러나 들판을 에워싸고 있는 아름다운 숲들은 텅 비어 있었다.

"왜 새들과 동물들이 발 디딜 틈도 없이 함께 모여 있는 것일까? 왜 하늘이나 나뭇가지들 위로 올라가지 않는 것일까?"

새들과 동물들은 비좁은 장소에 너무 많이 모여 있었기 때문에 매우 긴장되고 신경이 곤두서 있는 것 같았다. 전혀 편안해 보이지 않았다.

농부인 친구의 집에 도착한 그는 무엇보다도 먼저 새들과 짐승들이 그곳에 모여 있는 까닭을 물었다.

"무슨 불행한 일이 그들에게 닥치기라도 했는가?"

친구가 대답했다.

"내 자신이 직접 목격하지 않았기 때문에 잘은 모르지만 몇 년 전에 이런 일이 일어났다고 들었네. 지주 한 사람이 살고 있었다네. 그는 무척 폭력적이고 이기적인 인물이었지. 그는 들판 가장자리에 높은 울타리를 세우고 모든 곳에 경비원을 배치했다네. 그리고는 경비원들에게, 어떤 새든 짐승이든 일단 그 안으로 들어오면 빠져나가지 못하게 하라고 명령을 내렸어. 빠져나가려고 하면 죽음이 기다리고 있었지.

그는 수천 마리의 새들과 짐승들을 그 들판 안으로 몰아넣었다네. 그 들판은 그들에게 하나의 감옥이었지. 수년 동안 그런 상황이 계속되었어. 어떤 새든 짐승이든 그곳을 탈출하려고 하면 그 자리에서 사살되고 말았지. 서서히 새들과 짐승들은 그 들판에 정착하게 되었다네. 그들은 그들의 감금 상태를 받아들이고, 그들의 자유에 대해선 잊어 버렸어. 왜냐하면 자유는 두려움과 죽음을 연상시키기 때문이지.

그러다가 그 지주가 죽었어. 따라서 경비원들도 사라지고 울타리도 제거되었지. 이제 그 새와 동물들이 그곳을 떠나는 것을 막을 자가 아무도 없었어. 하지만 새들과 동물들에게는 어느새 정신적인 울타리가 둘러쳐져 있었다네. 그들은 울타리가 여전히 존재한다고 믿었어. 그래서 그들은 그곳을 영원히 탈출할 수 없게 된 것이지."

친구의 설명을 들은 그 사람이 다시 물었다.

"왜 누군가 그들에게 상황을 이해시키려고 노력하지 않는가?"

친구가 말했다.

"많은 이들이 시도했지만 새들은 들으려고 하지 않았다네. 그들 자신만이 그렇게 세뇌된 것이 아니라, 그들의 새끼들까지도 똑같은 생각을 갖고서 태어난다네. 부자유는 그들의 피가 되고 살이 된 것이지. 많은 선한 이들이 그들을 깨우치려고 시도했고, 아직도 시도하고 있지. 하지만 놀라운 것은 그럴 때마다 새들은 무척 화를 내었으며, 짐승들은 그 선한 이들을 공격하기까지 했다네. 그들은 혼란을 원치 않는 것이지. 실제로 그들은 그들이 자유 속에서 살고 있으며, 그 들판 밖의 세계는 부자유라는 철학을 만들어내기까지 했지. 아직도 선한 이들이 그들을 이해시키려고 노력하고 있지만, 그들이 이미 자유로우며 자유롭게 여행할 수 있고 울타리가 존재하지 않는다는 사실을 그들에게 일깨우기란 불가능한 일이 된 것 같다네."

한 사람의 인간

아버지의 인생상자

　다시 나의 아버지가 생각난다.

　아버지에게는 작은 상자가 하나 있었다. 그것은 나무로 만든 궤짝 같은 것으로 겉에는 색바랜 벽지가 발라져 있었다. 그 상자는 식구들 아무도 건드릴 수가 없도록 항상 자물통이 채워져 있었다. 그 자물통도 구식이어서 물고기처럼 생긴 몸통에 꼬리와 주둥이 같은 것에 쇠막대를 끼워서 잠그도록 된 것이었다.

　그 상자에는 무엇이 들었을까? 나는 아버지가 그 상자를 열어 보는 것도 본 적이 없고, 그렇다고 아버지는 그것을 버리지도 않았다. 그 상자는 늘 어두운 안방 구석에 신비한 아버지의 세계처럼 놓여져 있었다.

아버지가 세상을 떠난 며칠 뒤 어머니가 나더러 무엇을 태워 버리라고 해서 보았더니 바로 아버지의 상자에서 꺼낸 물건들이었다. 그때 내 나이 스물다섯 되던 해였던가? 나는 처음으로 그 상자 속의 물건들을 보았다. 누런 노트 몇 권과 서류봉투 같은 것이 전부였다. 처음에는 그것들이 별 것 아니었다.

그러나 아직도 나는 잊을 수 없다. 서류봉투들을 비우자 바닥에 쏟아지던 그 색바랜 흑백사진들을. 그것들은 마치 낙엽이 한꺼번에 떨어지듯, 아니 이 지구에 여행을 왔다가 떠난 한 인간의 생애가 영화의 장면처럼 펼쳐지는 것과 같았다.

그 사진들은 모두 아버지가 여행하면서 찍은 것들이었다. 아버지는 스무 살 무렵에 집을 도망쳐서 일본으로 갔다. 그리고는 혼자서 온갖 일을 하며 동남아 일대를 다 돌아다닌 것이다. 아버지와 함께 찍은 사진 속 얼굴들이 아버지의 여행이 어떠했는가를 보여주고 있었다. 필리핀 어부들의 얼굴이 있는가 하면 일본 술집 기생의 인형 같은 묘한 얼굴이 있고, 발가벗은 인도네시아 원주민 아이들과 정장한 군인의 얼굴도 있었다. 바다와 화산과 고원지대가 있었다. 월남 승려들도 있었다.

그리고 세 권의 노트에는 세로로 써진 일기가 있었다. 그것은 말하자면 이십대 중반부터 기록된 아버지의 '여행일지'였던 것이다. 아버지는 광부로도 일했고, 일본 북해도 삼림지대의 벌목꾼이기도 했으며, 때로는 상인이기도 했다. 어부였으며 그냥 떠돌이 거지이기도 했다. 그렇게 십 년이 넘도록 아버지는 떠돌아다녔다. 그렇게 해서 아버지가 얻은 것은 무엇이었을까? 아버지는 어떤 여행의 목적지에 도달했을까?

어떤 인생

여기 하나의 이야기가 있다.

'모주드'라고 불리우는 사람이 있었다. 그는 작은 마을의 평범한 관리였는데 그렇게 관리로서 인생을 마칠 것 같았다. 어느날 그가 집 근처의 정원을 거닐고 있는데 홀연히 신비의 영적 안내자 '키드르'가 모습을 나타내었다.

키드르가 말했다.

"모주드여, 직장을 그만두고 사흘 후에 강가로 나를 만나러 오라."

그리고는 모습을 감추었다. 모주드는 직장의 최고 책임자를 찾아가 자기는 떠나야만 한다고 말했다. 마을 사람들에게 이 소식이 전해지자 다들 이렇게 말했다.

"불쌍한 모주드! 갑자기 미쳐 버렸군!"

하지만 마을에는 그의 일자리를 대신할 자가 많았기 때문에 사람들은 금방 그를 잊었다. 약속한 날에 모주드는 강가로 나가서 키드르를 만났다. 키드르가 말했다.

"옷을 모두 벗어던지고 저 강물 속으로 뛰어들어라. 혹시 누군가 너를 구해 줄지도 모른다."

모주드는 자신이 정말로 미친 것이나 아닐까 의심하면서도 그 명령에 따라 강물로 뛰어들었다. 헤엄을 칠 줄 알았기 때문에 그는 빠져 죽지는 않았지만 물살에 밀려 한참을 떠내려갔다. 그때 우연히 근처를 지나던 한 어부가 보고서 그를 배 위로 끌어올렸다.

"미련한 사람아! 물살이 이렇게 센데 무슨 짓을 하고 있는 것인가?"

모주드는 말했다.

"글쎄, 나도 잘 모르겠소."

"당신 정말로 미쳤군!"

어부가 말했다.

"어쨌든 강 저쪽에 내 오두막집이 있으니 그곳으로 가세. 가서 당신이 할 수 있는 일을 찾아보세."

이렇게 해서 모주드는 갈대로 엮은 오두막집에서 어부와 함께 살게 되었다. 모주드가 학식있는 사람이라는 것을 안 어부는 그에게서 읽고 쓰는 법을 배웠다. 그 대신 모주드는 음식을 얻어먹을 수 있었으며 틈나는 대로 어부의 일을 돕기도 했다.

몇 달 뒤 키드르가 다시 모습을 나타내었다. 이번에는 잠을 자고 있는 모주드의 발치에 나타나 말했다.

"지금 당장 자리에서 일어나 이 어부의 집을 떠나라. 누군가 너를 도와 줄 것이다."

모주드는 서둘러 어부의 오두막집을 떠나 어부의 옷차림을 하고서 정처없이 밤길을 헤맨 끝에 마침내 큰 길에 이르게 되었다. 날이 밝아올 무렵 모주드는 나귀를 타고 가는 한 농부를 만났다. 농부가 말했다.

"당신 일자리를 찾고 있소? 나는 지금 시장에서 물건을 옮겨다 줄 사람이 필요하오."

그래서 모주드는 농부를 따라갔다. 이 년이 넘도록 그는 농부를 위해 일했으며, 따라서 농사일에 대해선 많은 것을 배웠지만 다른 것을 접할 기회는 별로 없었다. 어느날 오후 그가 농부의 집에서

양털을 묶고 있는데 문득 키드르가 나타나서 말했다.

"이제 그 일을 그만두고 이곳을 떠나 도시로 가라. 그곳에서 지금까지 모은 돈으로 가죽장사를 하라."

모주드는 그 명령에 따랐다. 도시로 나간 모주드는 열심히 일을 하여 가죽상으로 이름이 났다. 삼 년이 지나도록 그는 키드르를 한 번도 볼 수가 없었다. 많은 돈을 모은 그는 이제 집을 한 채 사기로 마음먹었다. 그때 키드르가 다시 나타나서 말했다.

"네가 번 돈을 전부 버리고 너는 이 도시를 떠나 가능한 한 멀리 떨어진 다른 도시로 가서 식료품 가게의 점원으로 일하라."

모주드는 그렇게 했다.

이제 모주드는 늙었고 서서히 깊은 지혜를 드러내기 시작했다. 그에게는 병자를 치료하는 능력이 생겼으며 식료품 가게의 점원으로 일하는 틈틈이 그는 많은 이들에게 자비를 베풀었다. 삶의 신비에 대한 그의 지혜는 날로 깊어만 갔다. 많은 사람들이 그를 만나러 왔다. 성직자와 철학자와 학식있는 이들까지 그를 찾아왔다. 사람들은 모주드의 일대기를 써야 한다고 주장했다. 그들은 모주드에게 물었다.

"지금까지 당신은 어떤 인생을 살아왔습니까?"

"나는 평범한 관리였는데 어느날 직장을 그만두고 강물에 뛰어들었다가 어부가 되었으며, 그러다가 한밤중에 어부의 오두막집을 떠났다. 그 다음에 나는 농부가 되었지만 양털을 묶다가 인생을 바꾸어 도시로 가서 가죽상인이 되었다. 그곳에서 나는 많은 돈을 벌었지만 어느날 모두 버리고 이 도시로 와서 식료품 가게의 점원으로 일하기 시작했다. 그렇게 해서 현재에 이른 것이다."

그의 전기를 쓰는 사람들은 말했다.

"하지만 그런 설명할 수 없는 행동만으로는 당신이 현재 갖고 있는 특별한 지혜와 능력을 이해하는 데에 아무런 도움이 되지 않습니다."

"하긴 그렇다."

모주드는 대답했다.

그래서 전기 작가들은 모주드에게 성자로서 어울릴 만한 흥미있고 훌륭한 이야기를 지어냈다. 왜냐하면 모든 성자들은 그들에게 어울리는 신비한 이야기를 갖고 있어야 하며 또 그 이야기는 실제로 그들이 어떻게 살았는가보다 듣는 이들에게 그럴싸하도록 꾸며져야 하기 때문이었다.

흐르는 강물처럼

여러 별들의 세계를 거쳐 우리가 여행을 온 이 지구에는 여행자임을 망각한 자들이 만든 숱한 권위와 억압적인 제도가 있다. 나의 아버지는 스무 살이 넘자 그 울타리를 뛰쳐나가 '자유인'이 되기 위한 삶을 살았다. 감히 말하건대 아버지는 니코스 카잔차키스가 《희랍인 조르바》에서 묘사했던 삶을 현실 속에서 살았던 것이다.

서른 살이 다 되어 결혼하기 위해 잠시 귀국한 아버지는 결혼식을 올린 바로 다음날 다시 어디론가 떠나서 일 년이 넘도록 돌아오지 않았다. 일 년이 지난 뒤 아버지는 배표를 보내 어머니를 일본으로 초청했다. 시모노세키 항구에 도착한 어머니를 어느 밥집으로 데려간 아버지는 밥을 먹고 있으면 잠시 후에 돌아오겠다고 하고 떠나서는 여섯 달 동안 소식이 없었다. '잠시 후'가 아버지의 시간 개념에서는 여섯 달이었다. 어머니는 그 여섯 달 동안 그 밥집에서 밥을 해주면서 살아야 했다.

여섯 달 후에 아버지는 돈을 잔뜩 들고서 나타났다. 그 동안 삼림 지대의 벌목꾼으로 일을 했던 것이다.

한 가지 일이 또 생각난다. 어느 겨울날 목사가 우리집을 방문했다. 그는 이제 갓 목사직에 부임해서 우리 마을로 '심령 부흥'을 일으키기 위해 온 사명감 강한 젊은이였다.

젊은 목사는 아버지에게 하나님이 인간을 만드신 뜻과 독생자 예수의 구원의 원리 등에 대해 열변을 토했다. 아버지는 그냥 그를 바라만 보고 있었다. 마치 물결에 일렁이는 낚시 찌바늘을 바라보듯이.

아버지의 그 무관심하고 때로는 '무자비'하기까지 한 시선을 당해낼 자는 아무도 없었다. 아버지는 오랜 세월에 걸친 강에서의 낚시를 통해 감정 없이 바라보는 것을 완전히 터득했던 것이다. 목사는 제풀에 꺾여 차츰 말꼬리가 흐려지면서 자꾸만 아버지의 시선을 피했다.

마침내 아버지가 입을 열었다.

"자네는 어떤 인생을 살았나?"

목사는 당황하는 표정이 역력했다. 아버지가 목사를 감히 '자네'라고 불렀기 때문만은 아니었다. 전도를 하면 대부분이 교리 자체에 대해 반론을 펼 뿐인데 갑자기 목사 자신의 인생 경험에 대해 묻는 질문에 당황했던 것이다.

목사는 더듬거리면서 말했다.

"예, 신학교를 졸업하고 전도사 생활을 몇 년 하다가 이제 막 목사가 되었습니다."

그 목사에게 아버지가 한 말은 이것 한 마디였다.

"그만 돌아가게."

목사는 그냥 돌아갈 수밖에 없었다.

솔직히 말해 아버지가 세상을 떠났을 때 우리 자식들은 별로 울지 않았다. 아버지는 그만큼 인간적으로 또는 감정적으로 우리들과 인연을 맺지 않았던 것이다.

그러나 그날 그 누런 색으로 변한 아버지의 흑백 사진들을 불길 속에 한 장 한 장 던지는 동안 잘 타지 않는 매운 연기가 나에게 뜨거운 눈물을 쏟게 했다. 그것이 나로서는 아버지의 지구별 여행을 마감하는 49재 같은 것이었다. 지금도 내 눈에선 눈물이 흐른다. 왜 지금에 와서 내가 아버지에 대해 눈물을 흘리는지 잘 이해가 가지 않는다.

임종의 자리에서 랍비 하임은 아들에게 말했다고 한다.

"너는 너의 아버지가 지혜로운 자였고 성스러운 자였으며 선한 자였다고 생각해서는 안 된다. 그 무엇보다도 나는 한 사람의 인간이고자 노력했을 뿐이다."

떠나고 싶다

　나 또한 늘 어디론가 떠나고 싶었다. 늘 내 마음 속에서 못 견디게 하는 소리가 있었으니 그것은 "어디론가 떠나라"는 것이었다. 강물이 흐르는 것만 봐도 그 멀리까지 가고 싶었다. 떠돌아다녀 보지 않은 사람이 삶에 대해 무엇을 말할 수 있겠는가?

　어렸을 때부터 나에게는 한 가지 고칠 수 없는 습관이 있었다. 그것은 집을 떠나 멀리까지 갔다가 돌아오는 일이었다. 그 나이에 내가 갈 수 있는 곳까지 가능한 한 멀리 가는 것을 나는 좋아했다.

　때로는 몰래 돈까지 훔쳐 산골의 버스를 타고 두세 시간 거리까지 갔다오곤 했다. 시간이 늦으면 그 마을의 어느 집에 들어가 잠을 자기도 했다. 산 너머의 다른 세계로 가는 것이 나는 그렇게 가슴 두근거릴 수 없었다. 그곳에도 사람들이 살고 있었다. 서로 등 기대고 살고 밤이면 아궁이에 불을 때면서 살고 있었다.

나는 그 낯선 사람들과 이야기하는 것이 좋았다. 사람들은 어디서나 어린 나를 환영해 주었다. 마치 내가 올 것을 알고 미리 저녁밥을 준비한 것 같았다.

그러한 짧은 '외박'에서 돌아오면 나는 "먼 나라를 여행하고 온 사람은 거짓말을 해도 된다"라는 프랑스의 문학평론가 가스통 바슐라르의 인용처럼 마을의 아이들에게 내가 보고 만난 사람들에 대한 이야기를 과장되게 들려주곤 했다.

나는 늘 어디론가 떠나고 싶었다. 어머니도 그러한 나의 습성을 고치지 못했다. 어머니는 내가 아버지의 피를 물려받아서, 역마살이 끼어서 그렇다고 했다. 그렇다. 그 점에서만은 나는 아버지의 피를 그대로 물려받았다.

한번은 태양이 막 지려고 하는 시간에 스리 차란이 매우 슬픈 표정을 짓더니 흐느껴 울기 시작했다. 쑤난다는, 아들이 죽은 아버지가 그리워서 그러는 줄로 생각하고 무릎에 앉혀 어루만져 주었다.

스리 차란은 어머니의 가슴에 머리를 파묻더니 이렇게 묻는 것이었다.

"엄마, 저 태양은 어디로 가고 있어?"

쑤난다가 말했다.

"태양은 저녁이면 언제나 사라졌다가 아침이면 다시 나타난단다."

스리 차란이 다시 물었다.

"엄마, 저 하늘은 왜 상자처럼 우리를 덮고 있지? 난 숨이 막힐 것 같아. 내가 드넓은 공간에서 숨을 쉴 수 있도록 엄마가 저 하늘을 걷어 줄 수 없어?"

쑤난다가 말했다.

"아들아, 넌 지금 무슨 말을 하고 있는 거니? 나는 하늘을 걷어 버릴 수가 없단다. 넌 지금 배가 고픈 것이구나. 어서 저녁을 먹고 잠자리에 들거라."

이튿날 아침 스리 차란은 잠에서 깨어나 세수를 한 뒤, 마루를 닦고 있는 어머니에게로 다가가서 물었다.

"엄마……정말로 하늘을 걷어 줄 수가 없어?"

쑤난다가 말했다.

"그렇단다. 내가 어떻게 하늘을 걷어 버릴 수가 있겠니? 이제 그 이야기는 그만 잊어라. 왜 자꾸 그런 엉뚱한 질문을 하니?"

스리 차란이 말했다.

"엄마, 저는 나가겠어요."

그 말에 쑤난다는 별다른 주의를 기울이지 않았다. 아들이 근처에 가서 놀고 오겠다는 뜻으로 생각했던 것이다.

얼마 후 아들을 불렀지만 아무런 대답도 들을 수가 없었다. 여기 저기 찾아보았지만 아들의 모습은 보이지 않았다. 그러자 언뜻 아이의 아버지도 어린 나이에 집을 떠났다는 생각이 들었다. 그러니 스리 차란이라고 집을 나가지 말란 법이 없었다.

그녀가 큰 길로 뛰어가니 골짜기 저편에서 스리 차란이 급히 걸어가고 있었다. 그녀가 소리쳐 불렀다.

"스리 차란! 어딜 가는 거니?"

스리 차란이 소리쳤다.

"엄마, 걱정하지 말아요. 나는 하늘 밖으로 나가고 있는 중이에요. 이곳에서는 더 이상 살 수가 없어요. 숨이 막힐 것 같아요."

쑤난다가 소리쳤다.

"아들아, 너의 아버지가 죽은 지도 얼마 되지 않았는데 이제 너마저 떠나면 나는 어떻게 하란 말이냐?"

스리 차란이 말했다.

"엄마, 나도 엄마 곁을 떠나고 싶지 않아요. 하지만 여기서 살다가는 난 숨막혀 죽을 거예요. 이건 거짓이 아니에요. 난 이 상자 속에서는 살 수가 없어요. 이 상자 밖으로 빠져 나가야만 해요."

——《성자가 된 청소부》에서

인도에 가다

아침에 눈을 떴을 때

대학에 들어간 나는 갑자기 이 세상이 상자 속과 같다는 것을 느꼈다. 그 상자 속을 떠나 어디론가 가고 싶었다. 실제로 우리는 살아가면서 자주 그러한 순간들을 만난다. 사람들이 살면서 끝까지 깨닫지 못하는 것이 있지만, 반면에 매순간 느껴지는 것도 있다. 그것은 이 답답한 일상을 탈출하여 어디론가 떠나고 싶다는 것이다.

아침에 눈을 떴을 때, 햇빛이 환한 거리를 걸어가고 있을 때 갑자기 그 욕망이 강해진다. 그래서 누군가는 정말로 떠나서 돌아오지 않는다. 그러면 우리는 그를 대단한 존재로 생각하지만 사실은 그가 가졌던 똑같은 탈출의 욕망을 우리 모두가 갖고 있는 것이다.

다만 우리는 그것을 죽이고 살 뿐이다. 그러면서 떠났던 그가 돌아와 들려주는 낯선 세계에 대한 이야기에 귀를 기울이는 것이다. 그래서 우리 또한 남모르는 꿈을 키운다. 언젠가는 한번 떠나 보겠다고……사실 우리를 두렵게 만드는 것은 그러한 꿈들이다.

그 무렵, 살아가는 일보다 꿈꾸는 일이 더 두렵다는 사실을 나는 차츰 알게 되었다. 인생을 채 살아 보기도 전에 인생을 버리고 떠나겠다는 그 두려운 꿈이 서서히 내 안에서 커져갔다. 그래서 이십대에 접어든 어느날 아침 눈을 뜨면서 나는 결심했다. 떠나겠다고. 내 머리 속에 떠오른 여행지는 인도였다.

그때 내가 왜 인도라는 나라를 선택했는지 모른다. 그 나라에 대해 소위 '마하트마 간디'밖에는 나는 아는 것이 없었다. 라즈니쉬나 크리슈나무르티와 같은 인도의 구루(영적 스승)들을 접하지도 않았을 때였다.

막연히 인도라는 나라가 나를 사로잡았다. 그곳에는 다른 세계가 있을 것 같았다. 나를 숨막히게 하지 않는 드넓은 지평이 있을 것만 같았다. 사실, 우리가 결정을 내리고 그 결정에서 비롯되는 모든 행동은 이미 여러 전생으로부터 심어진 어떤 씨앗이 안에 내재하고 있기 때문이 아니겠는가?

따라서 '막연히'라는 말은 옳지 않다. 그렇다. '운명적으로' 나는 인도라는 나라를 선택했다. 나는 친구들을 찾아가 인도로 떠나겠다고 말했다. 학교를 졸업하거나 문학수업을 계속한다는 것은 나에게 전혀 중요한 일이 아니었다. 중요한 것은 내가 숨이 막힌다는 것이었다. 이 하늘이 상자 속 같다는 것이었다.

친구들은 대단한 충격을 받는 듯했다. 몇 사람은 눈물까지 보이면서 밤새도록 나에게 밥과 술을 사주었다. 나는 지금의 내 아내가 된 여자에게 마지막으로 내가 몇 번을 되풀이해 읽었던 장 그르니에의 《섬》을 선물하고 나머지 내가 가졌던 물건들을 친구들에게 다 나누어 주었다. 그리고 나는 떠나기로 했다.

그러나 떠날 수가 없었다. 내게는 돈이 한 푼도 없었다. 공항까지 갈 택시비조차 없었다. 스무 살이 넘어 집을 도망쳐 나와서 혼자 산 지 이삼 년이 지났기 때문에 생계를 꾸려나가는 것도 힘든 형편인데 외국 여행을 간다는 것은 꿈 속에서나 가능한 일이었다. 그렇다. 그것은 한낱 꿈이었다.

인도로 떠나기로 한 날 아침, 나는 버스를 타고 공항으로 갔다. 나에게는 비행기표는커녕 여권이나 비자도 없었다. 사실 그때 나는 외국여행에 그러한 것들이 필요한 줄도 모르고 있었다. 나는 그만큼 비사회적인 인간이었던 것이다. 다만 운이 좋으면 지금껏 열차 무임승차를 해 왔듯이 짐칸을 이용해 비행기에 탑승할 수 있을지도 모른다고 나는 상상했다. 상상이란 얼마나 돈 안 드는 일인가! 멋진 상상일수록 더욱 그렇다.

그렇게 아침마다 나는 공항으로 갔다. 가서는 땅을 박차고 솟아오르는 거대한 비행기들의 동체를 놀란 눈으로 바라보곤 했다. 서둘러 수속을 밟고 떠나는 여행자들은 괜스리 나를 가슴 두근거리게 했다. 공항 청사 밖에 우두커니 앉아서 내가 하루종일 바라보았던 그 수많은 비행기들! 은빛 새들! 아아, 나는 언제나 자유롭게 떠나려는가!

일주일이 지나서 나는 다시 친구들 앞에 모습을 나타냈다. 다들 인도로 떠난 줄로만 알고 있다가 내가 다시 나타나자 어리둥절한 표정들이었다. 잔인하게도 그들은 일 주일이 못 가서 이미 나에 대한 감정을 정리해 버렸던 것이다. 내가 세상을 잊기 전에 세상이 나를 잊어 버렸다고나 할까. 나의 애인까지도. (이 지구별에서의 애인들은 얼마나 세월의 지배를 잘 받는가!) 나는 그들에게 "진정한 인도는 우리의 내면에 있음을 깨달았다"라는 그럴싸한 변명으로 일관했다. 그리고 나는 애써 아무렇지도 않은 표정으로 학교를 계속해서 다녔다.

그러나…….

그러나 나는 정말로는 아무렇지 않은 것이 아니었다. 늘 어디론가 떠나고 싶었다. 이 삶의 방식이 도대체 나를 숨쉴 수 없게 만들었다. 아침에 눈을 떴을 때, 그대의 눈을 바라보는 순간에, 비바람에 이파리 하나가 지는 순간에, 그리고 그 이파리 속에서 얼어죽은 벌레 한 마리가 흙 위로 나뒹구는 것을 바라보는 순간에, 우리가 사랑이나 진리나 행복이라고 이름붙인 것들의 정체가 확연히 드러나곤 하는 것이었다.

그 다음에 찾아오는 공(空)의 세계, 비어 있음. 그러한 상태를 이렇게 표현해도 옳은 것인지 모르겠다. 어느날 오후라고 말할 수도 있다. 아니면 우파니샤드의 한 구절을 읽었을 때라고 꼬집어 말할 수도 있다. 아니면 저녁의 강물을 바라보며 앉아 있을 때 내가 왜 나이고, 내가 왜 나의 존재의 바닥 없는 구멍 속으로 마구 빨려 들어가야 하는 것인지…….

한 스승이 말했다.

"삶의 어떤 길을 걸어가든지 늘 그대가 어디로 가고 있는가를 생각하라. 그리고 '나는 누구인가'라는 근본적인 질문에서 달아나

지 말라. 슬프면 때로 슬피 울라. 그러나 무엇이 참 슬픈가를 생각
하라. 그대가 어디로 가고 있는지도 모르고, 또 자신이 누구인가를
알려고 하지 않는 것, 그것이 참으로 슬픈 것이다."

나는 북극성에서 왔다. 그 먼 별에서 이곳까지도 올 수 있었던
내가 삶의 속박을 깨고 인도로 떠난다는 것이 그렇게 어려울 줄 나
는 몰랐다. 우리 모두가 그렇다. 우리는 지난 영원의 세월 동안 수
많은 형태로 몸을 바꿔 가면서 수많은 차원의 별들을 자유롭게 여
행했으면서도 물질에의 집착과 감정의 끈을 죽을 때까지 벗어나지
못한다. 얼마나 이상한 일인가.

그로부터 몇 년 뒤 나는 마침내 인도로 갈 수 있었다. 물론 이번
에는 여권과 비자를 갖추었으며 비행기 짐칸을 기웃거릴 필요도
없었다.

어디로 갈 것인가?

인도의 한 마을에서 나는 망설였다. 어디로 갈 것인가? 태양은
뜨겁고 먼지 섞인 바람이 나무 꼭대기에서 흔들리는 곳, 거지와 도
둑과 성자가 어우러져 흘러가는 인도의 그 거리에서 나는 늘 스스
로 묻곤 했다.

이제 어디로 갈 것인가?

바람이 나를 불러서, 흰구름이 나를 유혹하여서 나는 견딜 수가
없었다. 그래서 어느날 나는 일체를 버리고 성급히 인도로 갔다.
그곳으로 갈 수밖에 없었다. 그것은 내 삶이 어디로 흘러가는지,
무슨 의미 속에 하루하루가 지나가는지 모르는 상태에서 내 젊은
날이 다 가버리고 있었기 때문이었다. 다시는 오지 못할 그 날들이
......

그래서 나는 인도로 갔다.

인도로 가다

더 늦기 전에 내가 어디로 가고 있는지 스스로 확인하고 싶었다. 그 동안 나는 남의 눈치만 보느라고, 남 생각만 하느라고 내 자신에게로 철저히 파고들 겨를이 없었다. 모두가 말뿐이었다. 가슴도 없고 사랑도 없고 삶의 정열도 없이 오직 덧없는 꿈과 현실만이 있었다. 그렇다. 더 늦기 전에 이 꿈과 현실을 모두 벗어나야 한다. 그래서 내가 진정으로 '나'여야 한다. 그렇지 않으면 나는 다시는 무의식의 깊은 잠에서 깨어나지 못할 것이다.

인도로 가서 나는 스승을 만났다. 스승에게 엎드려 절했다. 그는 내가 인생에 막 눈을 뜨기 시작했을 무렵부터 정신을 사로잡고, 내 꿈과 현실을 온통 휘저어 놓은 인물이었다. 삶의 모퉁이마다에서 내 머리를 한없이 뜨겁게 하고 새벽, 집 근처에서 피어오르는 푸르스름한 안개에도 나를 미치게 만들던 사람……그 스승에게 엎드려 절하면서 나는 울었다.

얼마동안 스승의 곁에서 머물다가 나는 다시 흰구름의 길을 따라 인도 북부로 올라갔다. 그러면서 나는 만나는 모두에게 내가 어디로 가고 있는가를 물었다. 길가의 꽃에게, 새들에게, 큰 언덕에게, 아이들에게, 말이 통하지 않는 피부색 다른 남자와 여자들에게 나는 물었다. 이 삶이 도대체 무엇인가를……

집이 없는 자는 집을 그리워하고
집이 있는 자는 빈 들녘의 바람을 그리워한다
나 집을 떠나 길 위에 서서 생각하니
삶에서 잃은 것도 없고 얻은 것도 없다
모든 것들이 빈 들녘의 바람처럼
세월을 몰고 다만 멀어져갔다
어떤 자는 울면서 웃을 날을 그리워하고
웃는 자는 또 웃음 끝에 다가올 울음을 두려워한다
나 길가에 피어난 풀에게 묻는다
나는 무엇을 위해 살았으며
또 무엇을 위해 살지 않았는가를
살아 있는 자는 죽을 것을 염려하고
죽어가는 자는 더 살지 못했음을 아쉬워한다
자유가 없는 자는 자유를 그리워하고
어떤 나그네는 자유에 지쳐 길에서 쓰러진다
──〈길 위에서의 생각〉

나에게로 돌아오다

그리고 나는 인도에서 돌아왔다.
어디로 돌아왔는가? 나 자신에게로…….
그렇지 않으면 나는 진정으로 돌아온 것이 아니다. 나 자신에게
로 돌아오지 않았다면 나는 아직도 인도의 그 먼지 섞인 바람 속에

머리칼을 묻으며 방황하고 있을 것이다.

그리하여 내가 때로 삶의 물결에 휩쓸려 내 자신을 잃어 버릴 때면, 북극성의 별빛조차 먼지에 가려져 흐려질 때면 나는 언제나 다시금 그곳으로 가고 싶어진다. 왜냐하면 그곳에는 나에게 나 자신을 일깨워 주는 것들이 있기 때문이다.

드넓은 들판에서 떠오르던 아침의 태양들, 혹은 만년설에 뒤덮인 히말라야의 봉우리들, 아아, 아침에 눈을 떴을 때 망고나무 사이사이로 흐르던 안개들아, 이름모를 여인들아, 새들아, 고독한 수행자들아, 무릎이 닳도록 불상 앞에서 절을 하는 순진한 사람들아, 도둑들아, 거지들아, 날아가는 시간의 화살 속에서 그 화살 쏘는 자를 노래하는 성자들아!

그대들은 언제나 나에게 말을 걸고 있다. 다가와서 속삭이고, 속삭이다가는 저만치 물러가고, 내가 손을 뻗으면 그대들은 자취도 없이 사라져 버리는구나. 다음 생에서도, 그 다음 생에서도 내가 이 삶과 죽음의 사슬을 끊을 때까지 그대들은 늘 내 마음 속에 있으리라.

제2부
좋은 친구들

이상하다, 내 삶을 바라보는 것은

거미의 계절이 왔다. 오월과 유월 사이, 아침에 일어나면 내 집 뜰의 나무들 잎사귀 틈에 거미줄이 이슬과 함께 반짝인다. 거미는 한쪽에 움직임 없이 매달려 비스듬히 햇살을 받고 있다.

나는 가끔 정원에서 거미를 바라보며 서 있곤 한다. 거미는 더없이 명상적이다. 바깥의 움직임에 깨어 있으면서 내면을 응시하는 단단한 시선이 있다. 거미에게 가끔 말을 걸지만 그것은 부질없는 짓이다. 그의 침묵을 방해할 뿐이다.

우리집 정원을 나는 좋아한다. 나무들이 빙 둘러쳐져 있어서 마치 하나의 내면세계처럼 이곳은 고요하고 아늑하다. 거미의 계절이 되면 풀들이 우거지고 봄 내내는 민들레가 꿈결처럼 떠다니는 곳, 전혀 손대지 않고 가꾸지 않는 이 정원에서 아침마다 내 명상은 깊어져 갔다.

그리 넓지 않지만 이곳에 갖가지 나무가 있고 풀들이 있다. 언제 부턴가 나는 이 정원을 '가꾸지' 않기로 했다. 한낮의 뙤약볕 아래서 열흘이 멀다 하고 잡초를 뽑아야 하는 수고도 그렇지만, 그냥 자연스러움이 좋았다.

인간이 자연의 위대함을 깨닫지 못하고 정복하고 다스려야 할 어떤 것으로 알아 손을 대기 시작하면서부터 얼마나 많은 조화와 위엄을 망가뜨렸는지 모른다. 그래서 급기야는 모든 것을 인간 위주의 눈으로 보아 파헤치고 추려낸 나머지 생명이란 나의 목적을 위해 이용하고 파괴해야 할 것으로 되어 버렸다. 그것에서 인간의 비극은 시작되었다.

한때 이 정원에도 그러한 시기가 있었다. 잔디를 보호한다는 목적 아래 수많은 다른 풀들이 뽑혀져 나가고 벌레들이 쫓겨났다. 거미들도 찾아오지 않았다. 나무들은 한 해가 멀다 하고 가지치기를 당했다. 그래서 깨끗하고 잘 다듬어지긴 했으나 그것은 어디까지나 인간의 눈에 잘 보이기 위함이었다.

그러는 동안 많은 사람들이 이 정원을 다녀갔다. 나와 함께 구도의 길을 걷는 친구들, 내 책을 읽은 독자들, 그리고 여행중에 들른 외국인 구도자들, 그들은 이 정원에 모여 대화를 나누거나 말없이 앉아 있다가 가곤 했다.

얼마나 많은 사람들이 마음의 병에 시달리고 무엇인가 손에 잡히지 않는 것을 찾아 헤매는지 모른다. 그것은 우리가 세상에 태어난 순간부터 남의 기준에 맞도록 끝없이 가지치기를 당했기 때문이다. 정작 중요한 것들은 잡초로 취급되어 잘려졌다. 그래서 삶을 살면서 진정 가슴이 두근거리는 일을 하고 있는 이들은 찾아보기

어렵게 되었다.

그것이 인간의 숙명이라고 결론 내리기엔 아직 이르다.

봄이 되면 이 정원에서, 보호받는 잔디보다 수많은 다른 풀들이 먼저 싹을 내미는 이유는 무엇인가? 뿌리가 살아 있는 한 그것은 죽지 않고 기회만 주어지면 금방 키가 커서 푸르러진다. 진정으로 살아 있다는 것은 얼마나 좋은가.

겨울은 춥지만 내면에 불꽃을 간직한 한 알의 작은 씨앗만으로도 충분하다. 사실 모든 씨앗은 그 속에 하나씩 태양을 간직하고 있다. 이 내면의 태양이 바깥의 태양빛을 받는 순간 생명이 탄생한다.

손을 대지 않고서부터 한 달이 채 안 가서 원래의 잔디는 순식간에 잡초들에게 점령당했다. 스무 평 남짓한 이 정원에 온갖 풀들과 꽃들이 피어나기 시작했다. 사방에서 초대받지 않은 벌레들이 찾아왔다.

어떤 나무는 가지치기를 하지 않아서 한쪽으로 기울어질 정도가 되었다. 그것을 담쟁이가 휘감고 올라갔다. 작은 바위를 들추면 그곳에 설탕을 뿌린 듯 개미알이 가득했다.

그리고는 놀라운 일이 일어났다. 수많은 새들이 이 정원으로 날아온 것이다. 이곳에 야생의 풀과 나무와 벌레들이 있으니 새들은 더없이 좋았다. 이른 아침부터 어두워질 때까지 이 정원에 한순간도 새소리가 그칠 날이 없다.

요즘 들어 나에게 가장 좋은 명상이 있다면 그것은 저 새소리를 듣는 것이다. 이 집에 드나드는 사람들은 주로 명상과 깨달음에 대한 대화를 나눈다. 나는 그들의 대화보다 저 새소리에 귀 기울이는 편이다. 그것은 나를 깨어 있게 하고 더불어 내 안의 침묵으로 인도한다.

금세기의 위대한 명상가였던 지두 크리슈나무르티에 대한 일화가 있다. 하루는 그가 그를 따르는 사람들과 함께 기차로 인도 여행을 한 적이 있었다. 사람들은 기차 안에 모여 앉아 명상이 무엇인가를 놓고 토론을 벌였다. 몇 시간이 가도 결론이 나지 않자 그들은 말없이 앉아 있는 크리슈나무르티에게 명상이 무엇인가를 물었다.

크리슈나무르티는 그들을 바라보면서 말했다.

"우리가 타고 가는 이 기차가 조금 전에 철로에서 염소를 한 마리 치었습니다. 그래서 기차가 잠시 멎었다가 떠났습니다. 그런데 여러분들은 명상 토론에 열중해 있느라 그러한 일이 일어난 것을 몰랐습니다. 그것은 명상과는 거리가 먼 것입니다."

이른 새벽 잠에서 막 깨어나 혼자서 문을 열고 이 정원에 서면 침묵과 평온함이 주위를 감싼다. 가끔씩 정적을 깨는 새소리가 오히려 침묵을 더 깊게 한다.

나무들도 이파리를 흔들지 않고 고요하다. 새벽에 이곳에 서 있으면 침묵은 더 이상 불편한 것이 아니고 말 그대로 사념의 사라짐이다. 여기 과거도 없고 미래도 없다. 사실 지금 이 순간에 좋으면 그것은 영원한 것이다. 우리가 과거나 미래로 달려가지 않는다면 말이다.

이곳에서 바라보이는 집 뒤의 산들이 서서히 밝아진다. 이 시간을 인도에서는 하늘과 땅이 맞닿은 시간이라고 부른다. 그래서 그들은 이 시간을 명상하는 시간으로 택했다. 다시 말하자면 명상은 분위기인 것이다. 내가 억지로 만드는 것이 아니라, 명상은 내가 그 분위기에 있을 때 나에게로 내려오는 것임을 나는 이 정원에서 알았다.

어둠이 걷히면서 작은 풀꽃들이 얼굴을 내민다. 해는 아직 떠오르지 않았지만 주위가 밝아온다. "마지막 날인 것처럼 오늘을 맞이하자"고 크리슈나무르티는 말했다. 순간순간 시간들은 흘러가고 있지만 여기 이 정원의 풀과 나무들에게 과거나 미래는 없다. 오직 현재만이 있을 뿐이다.

그리고 문득 고개를 돌렸을 때 그곳에 거미가 걸려 있다. 움직이지 않고 내면을 들여다보고 있다. 초록색 등을 웅크리고서 여러 개의 다리는 마치 허공을 붙잡고 있는 듯하다.

때로 거미가 고독해 보였던 적이 있었다. 거미를 보면 내 자화상을 보는 듯하던 때가 있었다. 내 삶이 그러했었다. 마치 이 삶에서 고독은 숙명인 것처럼 꿈에서마저 나는 갈 곳이 없었다. 많은 철학과 예술세계에 탐닉하던 시절도 가버리고, 다시 거미처럼 내 안을 들여다보기까지는 참으로 오랜 세월이 걸렸다.

아, 다시는 지나간 세월에 대해 말하지 말자. 손을 흔들며 사라져간 그것들에 대해.

거미의 계절이 왔다 오월과
유월 사이 해와
그늘의 다툼이 시작되고
거미가 사방에 집을 짓는다

70

이상하다 거미줄을 통해 내
삶을 바라보는 것은
한때 내가 바라던 것들은 거미줄처럼 얽혀 있고
그 중심점에 거미만이 고독하게 매달려 있다

돌 위에 거미의 그림자가 흔들린다 나는
한낮에 거미 곁을 지나간다
나에게도 거미와 같은 어린 시절이 있었다
거미, 네가 헤쳐나갈 수많은 외로운 시간들에 대해
나는 아무것도 알지 못한다

거미에게 나는 아무 말 하지 않는다
다만 오월과 유월 사이 내
안의 거미를 지켜볼 뿐
모든 것으로부터 달아난다 해도
나 자신으로부터는 달아날 수 없는 것

나는 해를 배경으로 거미를 바라본다
내가 삶에서 깨달은 것은 무엇이고
또 깨닫지 못한 것은 무엇인가
거미는 언제나 내 곁에 있었다
내가 그것을 알아차리지 못했을 때에도
거미는 해를 등진 채 분주히 집을 짓고 있었다
──〈거미〉

저 정원의 세계

　내 눈은 거울처럼 거미를 비춘다

　한낮에는 개미와 벌, 나비 등 온갖 곤충과 벌레들이 풀과 나무들 사이를 서성댄다. 새들은 우리집 강아지 '궁금이'가 먹던 밥을 탐내느라 고개를 갸우뚱거리고, 나무 그늘 밑으로 서늘함이 찾아온다.

　그 서늘함을 찾아 나무 아래 앉을라치면 여린 가지에 매달린 나비의 애벌레 고치가 눈에 띈다. 그것은 마치 우리가 새로운 생명으로 태어날 때를 기다리는 안의 불꽃을 간직하고 있듯이, 겉으로 보기엔 정지해 있고 죽은 듯하지만 어느날인가는 눈부신 나비가 되어 태양 쪽으로 얼굴을 돌릴 것이다.

　그러나 그러기까지 우리는 시간을 기다리지 않으면 안 된다. 나비가 누에고치 속에서 숱한 세월 동안 오로지 안을 들여다보면서

72

불꽃을 키우고 중심을 갖듯이 자신을 감추고 내면의 길을 걸어야 한다. 그 중심이 곧 나비의 날개를 균형 잡히게 하는 것이다.

그리스의 열정적인 작가 니코스 카잔차키스는 그의 자서전에서 이런 이야기를 들려준다. 어느 봄날 그는 정원에서 우연히 나비의 누에고치 하나를 발견했다. 다가가서 보니 고치의 한쪽에 작은 구멍이 뚫리면서 나비가 막 빠져나오려 하는 순간이었다.

나비는 아주 천천히 그 작은 입으로 고치집을 헤치고 밖으로 나오고 있었다. 그러기엔 너무나 오랜 시간이 걸릴 것 같았다. 그래서 니코스 카잔차키스는 나비가 빨리 나오도록 누에고치에 대고 입김을 불어 주었다. 온기를 받아 나비의 작업이 한결 쉬워지게 하기 위해서였다.

나비는 갑자기 따뜻해진 기운을 받아 얼른 고치를 빠져나왔다. 그리고 나비는 나오자마자 그의 손바닥 위에서 죽고 말았다. 나비가 고치집을 빠져나오는 그 짧은 시간을 기다리지 못한 카잔차키스의 성급함이 나비를 죽게 만든 것이다.

시간은 필요하다. 때로 그것이 어둠 같고 길 없는 길 같아도 이 삶에서 기다리는 시간은 절대적으로 필요하다. 성급함은 나비를 죽게 만든다. 나비가 되는 것이 목적이 아니라 나비의 삶을 사는 것이 애벌레의 길인 것이다.

우리들 자신 속의 애벌레를 고요히 지켜보라. 그것이 거쳐 가야 할 수많은 시간들에 대해 한숨 짓긴 해도 그것은 필요한 일이다. 자연이 일깨워 주는 가장 큰 것은 바로 기다림의 필요성이다.

봄이 되면 누가 그것을 알리지 않아도 이 정원의 풀들이 먼저 안다. 자연은 들어가고 나올 때를 스스로 깨달아 아는 것이다. 신문

방송이나 목사나 승려가 봄이 왔음을 알린다고 해서 봄이 온 것이 아니다. 봄을 느껴 아는 메시아는 우리들 자신 속에 있다.

한번은 이 정원에서 하나의 환상을 본 적이 있다. 이른 아침 정원으로 내려서자 저쪽 한 구석의 나무에 꽃이 하얗게 핀 것처럼 나비들이 가득 매달려 있었다. 눈이 부셔왔다. 놀라서 그 나무에게로 다가가자 나비들이 나에게 길을 열어 주었다. 그 길 너머에는 다른 세계가 있었다.

그 세계를 무엇이라 부르면 좋을까? 빛들이 수없이 반짝이지만 더불어 한없이 평온한 세계, 신비의 길이 그곳에 있었다.

사월과 오월 사이에 피었던 목련과 라일락 꽃잎들은 내 마음을 지나 땅에 묻히고, 한쪽 구석에선 작은 보리수나무의 잎이 푸르다. 부처가 저 보리수나무 아래서 깨달은 것은 무엇이었을까? 산다는 것은 결국 고통이고, 그 고통은 집착에서 생겨나며, 따라서 집착을 버리는 것이 니르바나, 즉 절대평화의 바다에 이르는 길이라고 그는 말했다. 그때 보리수 아래서 어떤 것이 그에게 그러한 깨달음을 주었을까?

저 나무 아래서 지난 여름에는 네팔 친구 '나바딥'과 함께 눈 쌓인 히말라야의 이야기를 했었다. 먹을 것을 짊어지고 며칠씩 고독하게 산길을 걷는 트래킹과, 야크(염소)들이 풀을 뜯는 고산지대의 움막들이 나를 매혹시켰다.

아버지가 명상센터를 운영하고 있는 나바딥은 오쇼 라즈니쉬 제자였으며, 특히 노래를 잘 불렀다. 이 정원에 사람들이 모일 때면 곧잘 네팔 노래를 선사하곤 했다.

우리는 몇 년 후 네팔에 가서 함께 살기로 약속했었다. 그러나 몇 년 후의 일을 우리가 어떻게 알겠는가? 그때도 내가 이 정원에 서 있게 될까? 나바딥은 그 여름이 지나고 네팔로 돌아갔다. 오 년에 걸친 한국 생활의 끝이었다. 새벽에 공항까지 차로 데려다 주면서 우리는 잠시 대화를 나누었었다. 삶에 대해, 그리고 한국에 두고 가는 그의 여자친구에 대해.

그때 우리가 무슨 내용의 얘기를 했는가는 중요하지 않았다. 공항으로 가는 길 저편에서 밝아오던 새벽의 빛, 그것을 우리는 함께 느꼈다. 차문을 열고 내려서는 그의 얼굴, 몸짓이 나에게 그의 모든 것을 말해 주었다.

이듬해 정원에 목련이 피었을 때 나바딥이 네팔에서 전화를 했다. 멀리 전화선을 타고 그의 목소리가 떨려왔다. 한국에 오고 싶다고 했다. 아니, 곧 한국에 오겠다고 했던가? 그러나 사월과 오월이 지나고 눈에 띄는 곳마다 거미들이 늘어난 여름이 지나서도 그는 오지 않았다. 그의 여자친구가 가끔 와서 보리수 아래 앉아 있다가 돌아가곤 했다.

성문 앞 그늘 곁에 서 있는 보리수, 나는 그 그늘 아래 한 꿈을 꾸었네. 가지에 희망의 말 새기어 놓고서 기쁠 때나 슬플 때나 찾아온 보리수.

아버지가 가끔 부르곤 하던 노래였다.

"느낌과 경험에 충실하라. 신은 그대의 느낌과 경험으로 그대에게 말을 하고 있는 것이다." 이것은 누구의 말인지 잘 기억나지 않는다. 알란 와츠? 아니다. 토마스 머튼?

어느날 문득 창문을 열면 거미들이 진을 치고 있던 자리가 텅 비어 있다. 정원에 가을이 찾아온 것이다. 그것도 갑자기. 삶의 모든 일들은 갑자기 찾아온다. 나무들은 붙잡을 겨를도 없이 이파리를 버리고 붉은 열매들이 드러난다. 풀들도 기세가 한풀 꺾여 하루가 다르게 말라간다. 나고, 펼치고, 거두고, 저장하는 것이 우주의 섭리라지만 내 유한한 존재로는 붙잡을 것이 아무것도 없다.

우리집은 산에 가까워서 일찍 추워진다. 새벽으로는 어깨에 담요를 걸치지 않으면 어느새 몸이 떨린다. 발목에 닿는 서리, 서늘한 기운, 우리가 온 곳으로 우리를 되돌려보내는 우주의 기운이 이 작은 정원에도 있다. 일부러 기웃거리며 찾아보면 그렇게도 빨리 거미는 껍질만 남은 채 어딘가에 걸려 있는 것이다.

무엇보다도 나는 겨울의 정원을 보는 것이 좋다. 나무들에 둘러싸여서 눈이 오랫동안 녹지 않기 때문에 문득 밤중에 정원을 내다보면 내 기억 속의 어떤 세계처럼 눈 덮인 흰 정원이 공중에 떠 있는 듯이 느껴진다. 마치 정원이 공중에 떠서 천천히 돌고 있는 듯하다.

아, 나는 저 세계에 가고 싶었다. 모든 것들이 온 곳으로 되돌아가고 무(無)의 흰 세계만이 허공에 떠 있는 곳, 잃은 것에 대한 아픔과 얻을 것에 대한 희망마저 시든 곳, 내면의 지켜봄이 너무나 강렬해서 그 대상마저 녹아 없어지는 곳, 그곳에 이르고 싶었다.

그리고는 밤이 되면 내 방의 불을 끄고 정원을 내다보면서 '에냐'의 음악을 듣는다. 그녀가 묘사하는 저 '오리노코 강'의 물결들이 환상처럼 내 집 정원에서 출렁인다. 내가 지나온 삶의 물결이 이 정원에 와서 고요한 불꽃이 된다. 가만히 들여다보면 그곳에 불의 물결이 있다. 상대와 절대의 만남이 있고, 꿈과 현실의 녹아듦이 있다.

그런가 하면 어느날은 바람이 산 뒤쪽에서부터 불어와 성난 듯이 울면서 더 큰 물결을 이 정원으로 데리고 와서는 사정없이 나무들을 흔들고 바닥의 눈송이를 허공으로 회오리치게 하는 것이다. 나는 잠을 설치고 가만히 그 바람소리를 듣는다. 나무의 잔가지들이 창문을 두들긴다. 정원이 뭔가를 나에게 말하려는 듯이.

　손을 뻗으면 그것이 잡힐 것 같다. 물러났다가는 다시 다가오는 저 세계, 아득한 듯하다가 아예 사라져 버리는 저 정원의 세계, 그것이 늘 내 안에 있다.

청춘의 방랑과 구도

정원에 눈이 녹았는가 싶더니 어느새 목련의 흰 꽃이 맺혔다. 내가 어느날 시에서 썼듯이, 습관적으로 목련을 좋아한 적이 있었다. 잎을 피우기도 전에 꽃을 먼저 피우는 목련처럼 삶을 채 살아 보기도 전에 나는 삶의 허무를 키웠다.

한때 삶이 왜 그토록 허무했을까? 어느 것에도 마음 둘 것이 없어서 스무 살이 지났을 때 나는 집을 뛰쳐 나왔다. 그러나 나는 갈 곳이 없었다. 여러 날 동안 내 잠자리는 대학의 숲속이었으며, 새벽에 얼어붙은 몸을 문지르다 보면 나무들 저편에서 태양이 솟아올라 새날이 시작되었지만 아무것도 나에겐 새로울 것이 없었다.

그러다가 나는 거리의 거지들과 어울렸다. 서울역과 시내의 지하철역이 내가 잠드는 곳이었다. 신문지를 깔고 차가운 계단 구석에 엎드려 있노라면 나에겐 꿈도, 희망도 없었다. 거지들이 잠든

내 몸을 발로 건드리고 쥐들이 내 머리 위를 쏜살같이 지나가곤 했다. 내 꿈은 어지럽기만 했다.

이 별에 와서 나는 글을 쓰면서 꿈꾸는 법을 배웠다. 이 별은 꿈이 있는 별이었다. 나 어렸을 때부터 위대한 시인이 되기를 꿈꾸었으니, 사물을 통해 느낌과 감정을 표현하는 법을 익혔다. 사람들과 꽃들은 내 마음에 나타났다가 다시 내 마음을 지나 사라지곤 했다.

그렇게 문학에 내 정열을 바치기로 다짐했으나 이제 나는 집을 떠나 갈 곳이 없었다. 내가 할 수 있는 것이라곤 밤의 완행열차에 무임승차를 해서 가장 먼 곳까지 떠나는 일이었다. 그러나 어디를 가도 나는 여전히 나였다.

또 여러 날은 홀로 북한강가에 앉아 아무런 생각도 할 수가 없었다. 그냥 흐르는 물결이, 그 물결에 반짝이는 햇살이 내 마음을 차지했다. 나는 무엇을 찾고 있었으나 그것이 무엇인지 몰랐던 것이다. 내 손은 무엇을 잡으려 허공을 더듬었지만 잡히는 것은 바람뿐이었다.

바람, 그것에 내 인생을 맡기고 나는 젊은 시절을 흘러다녔다. 그러나 바람의 자유를 느끼기엔 나는 아직 덜 성숙했다. 내 안에서 나는 불멸의 시인이고자 했으나 사람들 눈에 비친 내 모습은 더럽고 초라한 거지에 불과했다.

그러면서 나는 몸이 말라갔다. 그러나 몸을 가두는 것보다 더 잔인한 것은 환상과 꿈을 묶는 일이다. 이곳은 꿈이 있는 별이었으나 더불어 꿈을 가로막는 요소들이 삶에는 너무나 많았다.

차츰 나는 문학으로부터 멀어졌다. 언어의 달콤함은 목련꽃잎처럼 시들어 떨어지고 결국 내가 표현해야 할 것은 언어로는 표현이 불가능하며, 또 내가 언어로 표현한 것들은 아무도 이해할 수 없다는 깨달음이 찾아왔다. 그리고 나는 너무나 오랫동안 언어에 갇혀서 살았으니 삶의 실체를 곧바로 들여다보려고 하지 않았었다. "바람이 분다"라고 시에서 썼으나 바람이 부는 그 세계를 직접 들여다본 적이 없었다.

그래서 나는 언어를 버리고, 언어 너머의 세계를 찾기로 했다. 그렇게 내 방황과 구도의 길은 시작되었다. 그리고 그때는 그 시작이 끝을 기약할 수 없는 것임을 알지 못했으니 얼마나 나는 무모한 출발을 했는가.

한 여인이 꿈을 꾸었는데 시장에 가서 새로 문을 연 가게에 들어가게 되었다. 그런데 가게 주인은 다름아닌 신(神)이었다.

이 가게에서 무엇을 파느냐고 여인이 묻자 신은 "당신의 가슴이 원하는 것은 무엇이든지 팝니다"라고 대답했다. 놀라지 않을 수 없었던 여인은 한참 생각 끝에 인간이 바랄 수 있는 최고의 것을 사기로 마음먹었다.

여인은 말했다.

"마음의 평화와 사랑과 행복과 지혜, 그리고 두려움으로부터의 자유를 주세요."

신은 미소를 지으면서 말했다.

"미안하지만 가게를 잘못 찾으신 것 같군요, 부인. 이 가게에선 열매를 팔지 않습니다. 오직 씨앗만을 팔지요."

좋은 친구들

정원에 이제 막 피기 시작하는 목련을 자세히 들여다보면 꽃봉오리들이 일제히 한 방향으로 기울어져 있다. 그것은 빛이 오는 곳을 향하고 있다.

내 삶도 저렇게 한 방향을 향해서 흘러왔던가? 그렇지 않은 것 같다. 아직도 나는 삶이 나를 어디로 데리고 가는지 알지 못한다. 그리고 그것은 아무도 알 수 없는 것이라고 나는 생각한다. 삶은 늘 미지의 세계로 우리를 인도할 뿐이지, 아무것도 약속하지 않는다.

따라서 삶에 안정된 것이란 없다. 우리가 아무리 안정을 찾는다고 해도, 그것은 불확실한 삶에 대한 두려움에서 나온 것일 뿐이다. 정해진 삶을 사는 것은 곧 죽음이라고 누군가 나에게 일깨워 주었으니, 나는 그것을 최고의 진리로 알았다.

불안정하고 약속되지 않은 삶 속으로 뛰어드는 것, 그것이 나에게는 구도의 길이었다. 삶이 나에게 주는 것을 거부하지 않을 용기를 갖는 것, 나에게서 떠나가는 것을 붙잡지 않으며 다가오는 것을 물리치지 않는 것이 내 추구의 길이었다.

사람들은 이것을 현실도피나 부조리한 현실에 대한 변혁 의지가 부족한 것으로 말할지도 모른다. 그러나 오히려 그것은 절대긍정의 길로 나아가는 것이며, 바깥의 혁명에 앞서는 안의 혁명을 위한 것이다. 우리가 이 삶을 절대긍정하지 않는다면 도대체 이 삶이 무엇이란 말인가. 그리고 우리가 매순간 어떤 주의주장에 따라 바깥의 변화만을 찾는다면 인간이란 것이 얼마나 일차원적이고 일회적인 것이 되어 버리는가.

어느날 공원에 앉아 있던 철학자 쇼펜하우어가 수많은 개미떼들이 분주히 식량을 나르는 것을 보고서 만물 속에 담긴 생(生)의 의지를 발견했듯이, 나 또한 어느날 거렁뱅이로 도심지의 한복판에 앉아 있다가 그러한 체험을 했다.

거리 구석에 앉아 있는 내 앞으로 수많은 사람들이 지나갔다. 차들은 햇볕에 유리창이 반사되고, 가방과 꽃을 든 사람들, 이상한 물건을 빙빙 돌리며 지나가는 아이들, 머리를 짧게 깎은 학생들, 가끔 자전거도 지나갔다. 그런가 하면 바람이 불어와 여자들의 치마를 부풀리게 했다. 여기저기서 부풀리는 물방울무늬 치마들, 닫혀 있기도 하고 열려 있기도 한 창문들, 자세히 보면 이상하고 다양한 얼굴들, 그러한 것들에 갑자기 나는 눈이 떠졌다.

이 수많은 사람들과 차들의 행렬 뒤에 그들을 움직이는 어떤 본체(本體)가 반드시 있을 것 같았다. 그것을 쇼펜하우어는 '생의 의지'라고 표현했으나, 나에게 그것은 '의지'라는 서양식 표현보다는 '도(道)의 물결'이라는 동양식 표현으로 다가왔다.

그것은 인간이 우연히 이 별에 오지 않았다는 것에 대한 뜨거운 확신이었다. 한 젊은 거지가 갑자기 도심지 한복판에 눈곱 낀 눈으로 앉아 있다가 "유레카! I have found it! 바로 이것이다!"라고 외쳤다면, 그것이 우주가 웃음을 터뜨릴 일이었을지 몰라도 나에게는 새로운 인식의 전환이었고 여행의 시작이었다.

인간은 삼차원의 세계에 살지만 그 정신과 의식은 결코 삼차원에만 국한되는 것이 아니라 수많은 다차원적인 것이다. 그것을 알지 못한 사람들이 경직된 이데올로기와 종교와 주의주장으로 인간을 묶으려고 했지만, 그것들의 헛된 정체를 일찌감치 알아 버리고 자신의 신성(神性)을 추구한 이들이 있었다. 그들은 저 목련꽃 봉오리들처럼 불멸의 빛을 향해 나아갔던 것이다.

그러한 사람들을 우리는 '구도자'라 부른다. 또 어떤 이들은 비틀즈가 노래에서 토로했듯이 그들을 '꿈꾸는 자'라고 비난할지도 모른다. 그러나 꿈이 없다면 산다는 것이 물질적인 것 외에 무엇이란 말인가.

이 길에서 나는 많은 구도자들을 만났다. 《태양을 나르는 사람들》이란 소설에 보면 여러 사람들이 제각기 다른 방향에서 출발했으나 결국 산의 정상에서 만나 그들의 여행이 같은 것이었음을 깨닫는 내용이 있다.

언젠가 나는 내가 만났던 이 별의 구도자들에 대한 이야기를 쓰고 싶다. 그들이 살아온 것과 경험한 것을 전하고 싶다. 명상이나 특정한 스승에 대한 고집으로 때묻지 않은 순수한 사람들. 내 삶에서 가장 큰 재산이 있다면 바로 내가 만났던 그러한 사람들이다.

일본의 메이지 시대에 두 명의 유명한 교사가 동경에 살았다. 둘은 아주 달랐다. 한 사람 '운쇼'는 진언종이라고 하는 불교 한 종파의 선생으로 불교의 계율을 철저히 지키기로 유명했다. 새벽에 일어나 저녁 일찍 잠들고, 해가 진 뒤에는 결코 음식을 먹지 않았으며 술도 입에 대지 않았다.

또다른 한 사람 '탄잔'은 황실대학의 철학교사였는데 아무런 계율도 지키지 않고 배고프면 언제나 먹었으며, 낮잠을 즐겼다.

하루는 운쇼가 탄잔을 방문했더니 탄잔은 술을 마시고 있었다. 불교도가 술을 마시는 것은 금지된 일이었기에 운쇼는 충격을 받았다.

"친구여, 어서 오시오!"

탄잔은 큰 소리로 말했다.

"이리 와서 나와 함께 술 한잔 합시다!"

운쇼는 화가 났으나 감정을 자제하고 말했다.

"나는 술을 입에 대지 않습니다."

"술을 마시지 않는 사람이 어떻게 사람이란 말이오?"

탄잔의 이 말에 운쇼는 더 이상 참지 못하고 화를 냈다.

"부처님이 금하신 술을 마시지 않는다고 해서 내가 사람이 아니란 말이오? 사람이 아니라면 그럼 내가 뭐란 말이오?"

탄잔은 즐거운 표정으로 대답했다.

"부처님이지!"

탄잔이 죽음을 맞이한 방식 또한 그가 살았던 방식처럼 남달랐다. 생애 마지막날 그는 친구들에게 예순 장의 엽서를 보냈는데 그 내용은 이러했다.

오늘 나는 세상을 떠난다.
이것이 나의 마지막 말이다.
탄잔.
1892년 7월 27일

오늘 내가 이 글을 쓰는 날은 1991년 7월 27일, 탄잔이 세상을 떠난 날로부터 꼭 99년이 흘렀다. 그 동안 수많은 사람들이 태어나고 죽었다. 나 또한 이 별에 와서 청춘의 방황을 했고 많은 사람들을 만났다. 우리는 멀리서 보면 흩어진 모래알들 같지만 가까이 다가가면 별들처럼 빛나는 존재들이다.

그래서 여행을 마치고 이 삶을 마치는 날, 우리에게 엽서를 보낼 예순 명의 친구가 있다면 그것은 더없이 좋은 일이다.

구름 위를 걷는 사람

구름 위를 걷는 사람을 본 적이 있는가?

누군가 구름 위를 걸어서 당신의 삶 곁으로 다가온 적이 있는가?

그때 나는 서울발 뉴욕행 비행기 안에서 책을 읽고 있었다. 내가 탄 비행기는 드높은 상공을 날고 있었으며, 멀리 아래쪽에는 구름밭, 구름산이라고 해도 어색하지 않을 정도로 흰 구름들이 끝없이 펼쳐져 있었다.

창가 쪽에 앉아 의자를 뒤로 젖히고서 책에 파묻혀 있던 나는 문득 창밖으로 시선을 돌렸다가 놀라운 광경을 목격하게 되었다.

창에서 바라다보이는 멀리 구름산 중의 하나에서 어떤 물체가 움직이고 있었다.

처음에 나는 그것이 몸집이 큰 어떤 새라고 생각했다. 그러나 그

새는 전혀 날아오르지도 않고 그냥 구름 위에 정지해 있었다.

자세히 보니 그것은 새가 아니라 사람이었다.

구름 위에 서 있는 사람…….

그러한 경험을 한 적이 있는가?

그는 짙은 갈색 양복에 조끼를 걸친 모습이었는데 한 손에는 신사모자까지 들고 있었다.

내가 무엇을 보고 있는 것일까? 나는 당황하지 않을 수 없었다. 비행기는 분명 수천 킬로 상공을 날고 있었고 빽빽한 구름의 틈새로 언뜻언뜻 푸른 바다가 내려다보였다.

몇 번 눈을 깜빡거리고 보아도 그 물체는 분명 사람이었다.

더구나 그 사람은 구름 위에 두 팔을 벌리고 서서 나에게 뭔가를 소리치고 있었다. 그 소리를 알아들을 수는 없었지만 그는 진행하는 비행기를 따라 성큼성큼 구름 위를 걸어 이동하면서 나에게 뭔가를 전달하려는 듯했다.

도대체 그런 일이 어떻게 가능하단 말인가?

그러한 일은 불가능하다는 듯이 비행기에 탄 다른 승객들은 신문을 보거나 담요를 덮고 잠들어 있었다. 아무도 그 구름 위의 남자를 알아차리지 못하는 것 같았다. 기내 방송도 잠잠한 것을 보면 조종사들 역시 모르고 있는 듯했다.

나는 읽던 책을 집어치우고 창유리에 얼굴을 문지르면서 그 남자를 쳐다보았다. 그는 분명히 나에게 손짓하고 있었다.

순간 나는 그가 외치는 소리를 들은 것 같았다.

그는 이렇게 말하고 있었다.

"나는 너를 만나고 싶다! 너를 만나서, 내가 알고 있는 사실들을 말해 주고 싶다!"

그 소리는 멀리 구름 위에서라기보다는 차라리 일종의 텔레파시처럼 공간을 뛰어넘어 내 귀에 들려왔다.

"나는 너를 만나야 한다! 네가 궁금해 하는 것들을 나는 다 대답해 줄 수 있다."

그러나 그는 그가 알고 있는 사실들이 무엇에 관한 것인지, 또 어떻게 하면 내가 그를 만날 수 있는지에 대해선 아무런 설명도 하지 않았다. 그는 여전히 검은 신사모자를 크게 흔들어 보이고 있었다.

"당신은 대체 누구요? 왜 당신은 구름 위에 서 있는 겁니까? 그리고 어떻게 그렇게 서 있을 수 있죠?"

나는 하마터면 비행기 안에서 크게 소리쳐서 물어볼 뻔했다. 다행히 큰 소리가 터져 나오기 전에 내 두뇌신경은 오른손에게 명령하여 입을 틀어막았다. 승객들은 여전히 아무런 낌새를 채지 못하는 듯했다.

그런데 더욱 놀란 것은 그가 내 생각을 다 전해받기라도 하는 듯이 대답을 해온 것이었다.

"나는 네가 만나야 할 사람이다. 너를 만나려고 여태까지 많은 시도를 했지만 너는 나를 알아보지 못했다. 내가 사람들 틈에 섞여 있었기 때문에 나를 발견하지 못한 것이다. 그래서 이렇게 구름 위로 올라와서 너에게 외쳐대는 것이다."

말을 하면서 그는 비행기가 날아가는 방향을 따라 구름 위를 이동했다. 그는 구름 위를 걷는 일이 아무렇지도 않은 듯했다.

나는 생각했다. 그렇다면 저 사람은 메시아가 아닐까? 어느날 구름 위에서 메시아를 만나 대화를 나눈다는 것은 흥미진진한 일이 아닐 수 없었다.

사실 그가 정말로 하늘에서 내려온 메시아라면 나 역시 그에게 할 말이 많았다.

"당신은 메시아요? 이 세상을 구원하기 위해서 온 거요?"

그 동안 메시아를 자처한 인간들이 우리의 삶을 위해서 한 것이 무엇이란 말인가?

왜 우리는 벌레처럼 밑바닥 인생을 살면서 먹고 살기 위해 별별 치사한 일을 다해야 하며 게다가 죄인이라는 굴레까지 덮어써야 하는가?

우리는 아무런 죄가 없다. 다만 삶이 우리를 치사하게 만들고 있을 뿐이다. 메시아들이 그러한 우리의 삶을 어떻게 구원해 주었는가? 기껏해야 자기를 추종하는 무리들을 모아서 종교나 만들지 않았는가?

물론 종교를 만든 것은 후세의 어리석은 인간들이라 해도 인간의 그러한 어리석음쯤은 메시아 정도라면 미리 짐작했어야 하지 않은가?

나는 투정부리는 아이처럼 할 말이 많았다. 그러나 구름 위의 그 사람은 한심하다는 듯이 소리쳤다.

"이 바보야! 나는 메시아가 아니다! 메시아에 대해선 나도 할 말이 많다. 다만 나는 너의 방황이 안돼 보여서 너에게 가르침을 주려는 것일 뿐이다."

가르침? 무슨 가르침? 나는 이미 학교에서 배운 쓸모없는 지식들에 넌덜머리가 났다. 게다가 책들은 나를 잘난 체하는 인간으로 만들었을 뿐 결국 허무한 짓이었다.

"너는 아직 마음의 평화를 얻고 있지 않다. 너에게 필요한 것은 마음의 평화다."

그러자 나는 웃음을 터뜨렸다. 내 옆자리에 앉은 뚱보 백인 친구가 놀라서 나를 쳐다보았다. 유리창에 얼굴을 부벼대며 혼자서 웃고 있는 내가 그에게는 어떻게 보였을까?

여전히 승객들은 구름 위의 남자와 나의 사건을 눈치채지 못하고 있었다.

"마음의 평화라구요?"

그렇다. 물론 나는 마음의 평화에 도달하지 못했다.

그러나 어떻게 삶의 이런저런 온갖 일들에 시달려야 하고 늘 처리하지 않으면 안 될 일들이 산더미처럼 쌓여 있는 사람이 마음의 평화를 누릴 수 있겠는가? 그것은 불가능한 일이다.

또 속세를 떠나 산으로 들어간다고 해서 그것이 가능하겠는가? 그것은 현실도피에 지나지 않는다. 더구나 그것은 나의 길도 아니다.

나는 죽은 사람처럼 모든 것을 잊고 마음의 평화에 침잠하느니 차라리 생동감 있는 현실을 택하겠다. 나는 아직 인생을 다 살아보지도 못했지 않은가.

"나는 그런 종류의 마음의 평화를 말하는 것이 아니다. 네가 현실 속에 있든 현실을 떠나든, 마음의 평화에 이르지 못한다면 결국 네가 하는 모든 일이 무슨 가치가 있겠는가? 너는 많은 일을 하면서도 삶의 고달픔에서 헤어나지 못할 것이다. 행복과 즐거움도 잠깐이고 습관적인 삶의 반복에서 벗어나지 못할 것이다. 그것은 사는 것이 아니다. 너는 영리하지만 지혜와는 거리가 멀고, 어떤 것을 성취하지만 새로운 욕망이 너를 괴롭히며, 사랑을 갈구하지만 일순간 후에는 시들해지고 만다. 그러한 너의 인생이 과연 무엇이란 말인가?"

나는 수긍하지 않을 수 없었다. 그는 구름 위에서 모자를 흔들며 나에게 설교를 해대고 있었다.

얼마나 이상한 일인가! 수천 킬로 상공, 서울발 뉴욕행 비행기 안에서 기내 영화를 보는 것도 아니고 구름 위의 남자와 느닷없는 영적 대화를 나눈다는 것이.

그런데 자꾸만 그의 말이 내 안에서 메아리쳤다.

"그러한 너의 인생이 과연 무엇이란 말인가? 그러한 너의 인생이 무엇이란 말인가? 무엇이란 말인가?"

구름산이 멀어져가고 있었다.

내가 탄 비행기는 마치 아무런 일도 없었다는 듯이 빠른 속도로 뉴욕 시티를 향해 날아가고 구름 위에 선 그 사람의 모습도 차츰 멀어져서 구름 위의 작은 점처럼 되고 말았다.

그래도 여전히 그가 두 팔을 흔들면서 나에게 소리치는 것을 알 수 있었다.

"나는 너와 만나고 싶다! 너에게 내가 안 사실들을 말해 주고 싶다!"

황금빛 환상

꿈이었을까?

짐가방을 들고 뉴욕의 존 에프 케네디 공항에 내리면서 나는 그 것이 꿈이었다고 생각했다. 비행기 안에서 꾸는 꿈. 기억에 남을 만큼 인상깊긴 해도 금방 잊혀질 꿈.

그러나 그 꿈은 쉽사리 잊혀지지 않았다. 때로 어쩌면 그것이 현실이었는지도 모른다고 나는 뉴욕의 뒷골목을 배회하면서 생각했다. 사실 지나고 나면 모두가 꿈 같은 것이 인생이 아닌가.

그후 나는 가까운 사람들에게 구름 위에 서 있던 남자의 사건을 말해 주었지만 아무도 내 이야기를 진지하게 들어 주지 않았다. 대부분 내가 지어낸 상상이라고 여겼다.

결국 나는 아무에게도 내가 본 구름 위의 남자가 실제였으며 환상이 아니었음을 설득시키지 못했다. 그리고 나 역시 그 남자에 대한 것을 잊었다. 꿈이었던 것처럼.

내 말을 진지하게 들어 준 단 한 명의 여성이 있었는데 나는 그녀를 버클리 근처의 어느 명상서적 파는 서점에서 만났다.

책꽂이 위칸에 꽂힌 책들을 보려고 뒷걸음질치다가 그녀의 발을 밟게 되어 대화를 나누게 되었는데 그녀의 이름은 '라싸'였다. 우리는 곧 친구가 되어 함께 캘리포니아 주변 지역을 여행하기도 했다.

어느 고속버스 정거장에서 차를 기다리다가 나는 무슨 얘기 끝에 라싸에게 우스개삼아 구름 위에서 만난 남자에 대한 경험을 말해 주었다. 그런데 그녀의 눈동자가 빛나는 것이었다.

"왜 그 남자를 만나겠다고 말하지 않았죠?"

그것이 그녀의 첫번째 질문이었다.

"그것은 꿈이야."

내가 웃어 버리자 그녀가 대들었다.

"모든 계시는 꿈처럼 내려온다는 사실을 모르나요? 그것이 꿈이라고 하더라도 그 속을 자세히 들여다보면 실마리를 찾을 수 있어요."

"실마리라니, 무슨 실마리?"

"그 사람을 만날 수 있는 실마리 말이에요."

나는 라싸의 말대로 그 사건을 되짚어 보았지만 아무런 것도 발견할 수 없었다. 다만 그 사건 이후 내가 더 많이 생각하게 된 것은 나의 삶과 '마음의 평화'에 대한 것이었다. 나의 삶은 어디를 향해 흘러가고 있는가? 나는 어디로 가고 있는가? 그리고 과연 매순간 마음의 평화를 누리고 있는가?

사실 새로운 것을 찾아서 여기저기 떠돌아다니고 있지만 내가 한 가지 깨달은 것은 '어느 곳을 가나 나는 나'라는 것이었다. 장소와 환경이 변한다고 해서 내가 근본적으로 달라지는 것은 없었다.

"모든 것은 환상이야."

내가 말했다.

"현실에 만족하지 못하고 또 현실을 끌고 나갈 기운조차 없을 때 그런 환상이 생기는 법이지."

라싸는 고개를 저었다.

"모든 것이 환상이지만 황금빛 환상이 있는 법이에요. 그 황금빛 환상은 우리에게 모든 것이 환상이라는 사실을 일깨워 주거든요."

"황금빛 환상?"

그 말이 내 귀에 와서 박혔다. 라싸는 그것을 영어로 '골든 드림(Golden Dream)'이라고 표현했다.

"인생이 하나의 환상이라는 사실을 가르쳐 주는 것이 바로 황금빛 환상이라?"

"그래요. 어려운 얘기가 아니에요. 예를 들어, 어느날 갑자기 내가 사랑하던 사람이 자동차 사고로 세상을 떠났다고 해 봐요. 나는 그것에 충격을 받죠. 그러면서 인생과 죽음의 의미에 대해 깊은 명상을 하게 되는 거예요. 모두가 부질없으며, 우리가 애써서 얻으려고 하는 것들이 찰나적인 꿈에 불과하다는 것을 그 사건을 계기로 알아차리게 되죠. 따라서 그러한 사건은 우리가 꿈을 꾸고 있음을 일깨워 주는 황금빛 꿈인 거예요."

굳이 동양의 현자들의 말을 빌리지 않아도 산다는 것도 환상이요, 죽는다는 것도 환상일지 모른다. 사람인 내가 나비의 꿈을 꾸고 있는지, 나비가 사람인 나의 꿈을 꾸고 있는지 알 수 없다고 말한 장자(莊子)조차도 내 꿈 속의 일이다.

꿈……어쨌거나 나와 라싸가 꾸고 있는 꿈 속으로 미국 서부 해안(West Coast)행 고속버스가 미끄러져 들어왔다. 꿈 속에서야 마음먹은 곳으로 훨훨 날아갈 수 있지만 현실에서는 티켓을 끊어야 하고 고속버스 안에선 지독한 에어콘에 시달려야 한다. 재채기를 해대면서……그것이 꿈과 현실의 차이다.

버스 안에서 나는 생각했다.

라싸가 진정으로 나에게 들려 주고 싶은 얘기는 무엇일까? 혹은 이 존재계가 라싸의 입을 통해서 나에게 말하고자 하는 바는 무엇인가?

황금빛 꿈이라면 그것이 내 인생의 어떤 사건들을 말하는 것인지 나는 더듬어 보았지만 금방 차창 밖에서 펼쳐지는 서부 해안의 아름다운 풍경에 정신을 빼앗기고 말았다.

별

별들은 언제나 변함없는 우리의 친구다. 어둠을 어깨로 밀쳐내면서 달려가는 초저녁의 고속버스 안에서 나는 생각했다. 머리 위에 달린 독서등을 끄고 의자를 뒤로 젖혀 비스듬히 눕자 멀리 마을과 산 위로 별들이 보였다.

별들이 우리에게 전해 주는 것은 참으로 많으리라. 산란되는 빛과 그 빛 속에 포함된 서로 다른 빛의 파장들이 우리에게 전하는 메시지는 과연 무엇일까?

어쩌면 우리의 생각이나 의식까지도 저 별들이 보내는 빛에 영향을 받는지 모른다. 달과 별에서 우리의 생각이 온다고 설득력 있게 주장을 편 사람들도 많으니까. 바다의 조개들도 달빛의 파장에 맞춰 입을 여닫는다.

내 마음은 별들이 전하는 메시지에 귀를 기울였지만 그 메시지를 듣기에는 다른 의문들이 너무나 많았다.

어쨌든 별들은 언제나 변함없는 우리의 친구다.

어둠 속에서 길을 잃고 지도마저 없을 때 우리는 별들의 위치를 기준으로 방향을 잡는다. 천문학이 발달하게 된 가장 근본적인 동기는 별자리의 정확한 위치와 운행을 아는 것이 항해술에 필수적이었기 때문이다. 지금도 군대에서는 혼자서 밤중에 길을 잃었을 때 북극성과 북두칠성의 위치를 기준으로 방향을 찾는 방법을 가르치고 있다.

마찬가지로 우리가 어둠뿐인 존재의 밤바다에서 길을 잃었을 때 스승이라는 별들은 우리에게 훌륭한 길잡이 역할을 해준다. 그러한 별들이 없었다면 우리는 더욱 캄캄한 어둠에서 헤어나지도 못했을 것이고 오히려 그 캄캄함이 세상의 전부인 것으로 믿었을 것이다.

다행히 우리에겐 암흑의 미궁에서 헤어난 스승들이 있어서 그들은 예나 지금이나 변함없이 우리의 길잡이 역할을 한다. 예수나 부처, 노자와 장자, 그리고 혜능과 임제를 위시한 중국과 이 땅의 대선사들이 바로 그들이다. 그리고 여기엔 마땅히 현대의 오쇼 라즈니쉬, 구제프, 지두 크리슈나무르티 등도 포함되어야 하리라.

그들은 존재의 밤바다를 밝혀 주는 별들이다.

어떤 별은 멀리 있고 또 어떤 별은 가로등처럼 가까이 빛나고 있다.

어떤 별은 너무나 눈이 부시고, 또 어떤 별은 오로지 지금 이 순간 속에 깃든 영원을 밝혀 준다.

버스가 해안지대로 접어들 무렵 흑인 운전사가 방송을 했다.

"잠시 후면 목적지입니다. 여러분의 목적지가 다가왔습니다. 잊은 물건 없이 잘 챙기시고, 좋은 시간들 되시오."

이 안내 방송이 전하는 메시지는 무엇일까?

저 흑인 운전사는 정말로 내 여행의 목적지가 어딘지 알고 있기 때문에 아주 비유적인 표현으로 메시지를 전하는 것인지도 모른다.

아니면 저 흑인 운전사는 어떤 깨달은 영혼이 나에게 교훈을 주기 위해 운전사로 변장해 나타난 모습인지도 모른다.

그렇다면 어떤 메시지일까? 우리가 살고 있는 곳이 곧 우리의 최종 목적지라는 것? 아니면 잊은 물건이 있으면 또다시 이 세상으로 되돌아와야 한다는 것?

비행기 안에서 구름 위의 남자를 만난 이후 내 머리 속이 터무니없이 비약을 잘 한다는 느낌이 들었다.

라싸와 나는 지독한 에어콘 바람에 몸이 꽁꽁 얼어서 남극의 펭권 같은 모습으로 미국 서부 해안에 내렸다.

코요테, 그 밤의 이야기

며칠 후 라싸와 나는 산타 모니카의 어느 숲에서 밤을 지새게 되었는데 작은 모닥불 앞에서 우리는 다시 그 주제에 대해 얘기를 나누었다.

"우린 중력을 극복할 수 있어요."

라싸가 또다시 눈을 빛내며 말했다. 서양 여자의 눈동자는 주변 풍경에 따라서 색깔이 변하는 듯했다. 녹색이었던 눈이 지금은 투명한 블루의 빛깔이었다. 모닥불에 반사되는 그 눈빛은 자꾸만 나를 설레이게 만들었다.

나는 짐짓 진지한 표정을 지으면서 물었다.

"중력을 극복한다고? 왜 그런 생각을 하게 되었지?"

"중력을 극복해서 구름 위로 올라갈 수 있어요. 그리고 우리를 중력에 붙들어매는 것은 우리의 사념(思念)이에요. 사념을 지워 버릴 수만 있으면 중력을 조종하고 동시에 물질계를 자유자재로 변화시킬 수 있어요. 명상을 통해서 공중부양을 경험하는 것도 같은 이치가 아닐까요? 사실은 우리를 물질계에 묶어두는 것도 우리의 사념이거든요."

서양 여자의 눈을 가만히 들여다보면 그 속으로 빨려들 것만 같다. 더구나 동양인의 눈에 익숙한 나로선 그 눈에서 어떤 감정의 변화를 읽는다는 것이 쉽지 않은 일이다. 라싸는 눈을 깜빡이지도 않고서 꽤 논리적으로 그러한 말을 했다.

라싸의 눈을 바라보며 내가 말했다.

"사념을 비우기 위해서 고대로부터 사용한 방법에 '만트라 명상'이라는 것이 있지."

만트라는 신비의 힘을 갖고 있다고 믿어지는 단어나 음절 또는 문장을 반복해서 외우는 일을 말한다. 이를테면 산스크리트어의 '옴'이나 '람'이 그러한 것이고, 불교의 염불도 같은 방식이라고 할 수 있다.

"맞아요. 만트라의 반복은 우리의 존재에 울림을 주어서 뇌파를 가라앉히고 사념을 비우게 하죠. 어떤 가톨릭 신부가 있었는데 히말라야 산속의 티벳 고원도시에 여행을 가서 놀라운 광경을 목격한 적이 있대요. 구름조차 중턱에 걸린 높은 산들의 꼭대기에 큰 대리석 사원들이 지어진 것을 보고서, 신부는 어떻게 그 무거운 돌들을 저 산꼭대기까지 옮길 수 있었는지 한 라마승에게 물었대요."

그러나 라마승은 대답해 주지 않았다.

비밀을 알기 위해서 신부는 라마교 사원을 찾아가서 고참 승려에게 간청을 했다.

고참 승려는 신부에게 정 알고 싶으면 다음날 아침 목욕을 하고 저 산 아래로 오라고 일렀다.

아침에 신부가 약속한 장소로 가니 한 무리의 라마승들이 이미 그곳에 집합해 있었다. 열 명 정도의 라마승은 반원을 그리며 기립해 있고, 또다른 열 명의 라마승은 그 앞에 역시 반원으로 가부좌를 하고서 앉아 있었다. 서 있는 라마승들은 작고 다양한 종들을 손에 들고 있었다.

그리고 라마승들이 그린 반원의 중심점에는 사방 일 미터 정도의 큰 대리석이 놓여 있었다.

신부가 도착하자 기립한 라마승들은 고참 라마승의 지휘에 따라서 종을 울리기 시작했다. 그리고 가부좌를 하고 앉은 라마승들은 '옴——'과 같은 만트라를 길게 외기 시작했다.

악기의 울림과 만트라 외는 소리가 산골짜기에 울려 퍼졌다. 그 소리들은 흔히 들을 수 있는 그러한 소리가 아니었다. 어떤 강하고 신비한 에너지가 피부로 느껴지는 소리였다.

"그때였어요. 그 만트라 합창과 더불어 중앙에 놓여 있던 대리석돌이 서서히 공중에 떠올라 산 높은 곳까지 올라가더래요. 티벳의 라마승들은 만트라 명상을 이용해서 무거운 돌을 산 높이까지 운반하여 사원을 지은 것이죠."

이런 믿기지 않은 이야기를 서양 여자의 입을 통해 듣는다는 것이 나로서는 더 신기했다. 그녀가 얘기하는 동안 모닥불의 나뭇가지들이 탁탁 소리를 내며 타들어갔다.

문득 라싸가 전에 말한 적이 있는 '황금빛 환상'에 대한 것이 떠올랐다. 지금 우리가 이렇게 밤의 모닥불가에 앉아서 티벳의 라마 승들의 이야기를 나누는 것이야말로 황금빛 환상인 듯싶었다. 내가 미국에 온 것은 그로부터 한 달 전 워싱톤 D. C.에서 열렸던 미국 아시아 학술협회 주최의 동양학 학술대회 겸 도서전시회에 한국대표로 참석하기 위해서였다. 그전에 이미 나는 명상과 정신 세계에 대한 여러 권의 책들을 번역했었다.

그런데 막상 한국을 떠나와 내가 살아온 삶을 돌이켜 보자 모든 일들이 무의미하게 느껴졌다. 내 자신은 아무런 내적인 성취를 이루지 못했다는 절망감이 밀려왔다. 나흘간의 동양학 학술대회가 끝난 뒤 나는 혼자서 여행을 계속하기로 했다. 그러다가 만난 것이 라싸였다.

나는 왜 지금 이곳에서 낯선 서양 여성과 함께 밤을 지새고 있는 걸까? 삶이 나에게 무엇을 가르치기 위해서 나를 이곳까지 데리고 온 걸까?

이 황금빛 환상은 틀림없이 나에게 무엇인가를 일깨워 주기 위해 지금 내 주위에서 펼쳐지고 있을 것이다.

그것이 무엇인지 나는 몰랐다.

그때 숲속에서 어떤 기척이 들려서 우리를 놀라게 했다.

귀를 세우고 소리가 난 쪽을 응시하니 어둠 속에서 작은 동물이 어슬렁거리며 다가왔다.

그것이 '코요테'였다. 코요테는 북미 서부 대초원에 서식하는 이리의 일종으로 불한당이나 악당을 일컫는 말이기도 했다.

코요테는 말 그대로 악당처럼 라싸와 나의 진지한 대화를 방해하며 모닥불 곁으로 다가왔다. 코를 킁킁대는 모습이 아마도 배가

고픈 듯했다. 어미가 아니라 새끼 코요테였다.

라싸가 긴장을 풀고서 배낭에서 비스켓을 꺼내 던져 주었다. 코요테는 의외로 그러한 먹이에 익숙한 듯 얼른 삼켜 버렸다. 아메리카 인디언들의 책에서 코요테 가죽으로 옷을 해 입으면 배가 고프지 않게 된다는 글을 읽은 적이 있는데, 코요테 자신은 배고픔을 이길 능력이 없는 모양이었다.

코요테는 다시 구걸하는 눈치로 라싸를 쳐다보았고 라싸가 아예 봉지째 던져준 비스켓에 코를 박아 버렸다.

우리는 한참동안 어린 코요테를 바라보았다. 코요테의 눈동자 속에서도 모닥불이 약하게 사그라들고 있었다.

"당신은 전생을 생각해 본 적이 있어요? 당신은 전생에 무엇이었던 것 같아요?"

라싸가 문득 나에게 시선을 돌리며 물었다.

"나? 나는 전생에 북극성에서 살았어."

내 말에 라싸는 웃음을 터뜨렸다.

"북극성이라구요? 그 별에서 무엇을 했어요?"

"북극성에서 나는 우주선 조종사였어. 그러다가 이 지구라는 별에 매력을 갖게 되었지. 그리고 특히 이 별에 사는 여성들을 만나고 싶었어."

라싸가 다시 웃으면서 내 어깨에 머리를 기댔다. 우리는 서로 좋아하게 된 것 같았다. 누구를 좋아한다는 것은 어느 순간 갑자기 시작되는 법이다. 무덤덤하게 몇 년을 알아온 사람도 어느 순간 갑자기 좋아질 때가 있다. 그러면 그 사람이 내 눈 속으로 확연히 들어오는 것이다. 이 유한하고 짧은 인생 속에서 누군가에게 정을 주고 그를 내 사람으로 생각한다는 것이 때로 얼마나 두려운 일인가.

"그래서 많은 여성들을 만났나요?"

라싸는 내게 기대어 기다란 나뭇가지 끝으로 코요테의 앞발을 탁탁 건드리면서 물었다.

"완벽한 여성을 만나진 못했지. 정신적인 깊이와 육체적인 아름다움을 함께 가진 여성 말야."

"내가 당신에게 한 가지 재미있는 이야기 해줄까요?"

라싸가 짓궂은 표정으로 물었다. 나는 고개를 끄덕였다.

"어서 해봐."

"한 사람이 완벽한 스승을 찾아서 돌아다녔대요. 여러 해 동안 티벳, 인도, 일본 등지를 여행했지만 완벽한 스승을 찾기는 어려웠어요. 어느날 히말라야 산속을 헤매다가 바위 위에 도인처럼 앉아 있는 라마승을 만났어요. 몇 가지 질문을 던졌더니 그야말로 완벽한 스승의 표본이었대요. 그래서 그 사람은 넙죽 엎드려 절을 하면서 '당신이야말로 제가 십 년에 걸쳐서 찾아 헤매던 완벽한 스승입니다. 저를 제자로 받아들여 주십시오'라고 했대요. 그러자 라마승은 그를 굽어보면서 말했대요. '네가 가장 완벽한 스승을 찾고 있듯이 나 역시 가장 완벽한 제자를 찾고 있노라. 너는 내가 바라는 완벽한 제자 타입이 아니다. 꺼져라'라고 말예요."

우리는 함께 웃어댔다.

어린 코요테는 더 이상 나올 것이 없다고 판단했는지 한심하다는 듯한 표정으로 어슬렁거리며 나무 뒤로 사라졌다.

모닥불은 점점 사그라들어 불기운만 남았다. 라싸와 나는 무릎을 두 팔로 당겨 턱을 괴고서 꺼져가는 불꽃들을 바라보았다. 갑자기 침묵이 밀려온 것 같았다.

모닥불이 사그라들자 하늘의 별들이 기다렸다는 듯이 일제히 반짝이기 시작했다. 어디서나 반가움을 주는 별들……특히나 어린시절 내 고향 산골 마을에서 여름철마다 나를 무한한 상상의 세계로 빠지게 했던 저 별들, 더 많은 별들……나의 별 북극성도 그곳에 있었다. 그런가 하면 어떤 별은 순간 별똥별이 되어 그 근처로 떨어지기도 했다.

별들은 언제나 변함없는 친구다. 우리가 굳이 길을 잃지 않아도 별들은 다정한 친구처럼 일정한 거리를 두고서 우리를 지켜봐 준다. 늙어서도 나는 자주 별들을 바라보리라. 내 시력이 허락하는 한…… 또는 내 눈이 아주 보이지 않게 되어도 나는 그것들을 볼 수 있으리라.

그날 밤 라싸와 나는 많은 별똥별을 보았다. 그리고 어느새 새벽이 밝아왔다.

길잡이 늑대

라싸와의 여행은 계속되었다. 도중에 우리는 남미로 내려가 아메리카 인디언들을 만나고 싶었지만 사정이 여의치 않았다. 대신 어느 인디언 가정에 초대된 적이 있었는데 라싸와 내가 집 안으로 들어가자 인디언 부모와 아이들이 모여 앉았다. 그들은 캐나다 마니토바 출신의 인디언으로 미국으로 이주해 온 지 스무 해 정도 되었다고 한다.

한 가지 인상깊었던 것은, 우리가 집안으로 들어가 자리에 앉자 그들은 약 오 분 정도 아무 말도 하지 않고 침묵을 지켰다. 처음엔 그 침묵이 무척 어색해서 라싸와 나는 약간 어리둥절했다. 그러나 일 분이 지나고 이 분이 지나자 우리는 차츰 그 침묵 속에서 웬지 그 인디언 가족과 서로 통하는 느낌을 갖게 되었다. 그것은 훈훈한 정 같은 것이었다.

나중에 설명을 들으니 그것이 그들 인디언 부족의 전통이었다. 손님이 오면 마주앉아서 침묵을 지키며 서로를 본다는 것이었다.

우리를 초대한 그 인디언 가장은 이름이 특이하게 '독수리처럼 일어서(Standing Eagle)'였는데 주유소에서 일하고 있었다. 우리가 그를 알게 된 것도 주유소에서였다.

그런데 대화 도중에 문득 라싸가 '독수리처럼 일어서'에게 물었다.

"당신들 인디언들도 구름 위를 걸을 수 있나요?"

그러자 '독수리처럼 일어서'는 우리 앞의 의자에 '앉은' 채로 라싸의 두 눈을 뚫어지게 바라보는 것이었다.

"당신은 구름 위를 걷는 사람을 보았소?"

그가 라싸에게 물었다.

라싸는 얼른 화살을 내게로 돌렸다.

"아녜요. 내가 아니고 이 사람이 보았어요."

그가 이번에는 내 눈을 쏘아보았다. 그 시선은 마치 황야에서 가없은 들쥐를 발견한 독수리의 눈처럼 매서웠다.

"당신은 그 사람을 어디서 보았소?"

"뉴욕으로 오는 비행기 안에서요……."

나는 더듬거렸다. 내 말에 '독수리처럼 일어서'가 갑자기 천둥 같은 웃음을 터뜨렸다. 희한한 사람이었다. 그가 그렇게 웃는 이유를 알 수 없었다.

"우리 인디언들에게는 '길잡이 늑대(Guiding Wolf)'라는 것이 있소. 그는 고대로부터 우리 인디언 전사(戰士)들이 숲에서 사냥을 할 때 우리를 안내해 주는 안내자인 것이오. 우리 할아버지 '새벽같이 잠깨어(Dawn Wake Up)'는 위대한 주술사였는데, 어느날 사냥에 나섰다가 다른 주술사가 파놓은 함정에 걸려들게 되었소. 그것은 단순한 함정이 아니라 우리 할아버지의 주술 능력을 모두 빼앗기 위해 다른 부족의 주술사 '노래하는 돌(Singing Rock)'이 나뭇가지 위에 걸어 놓은 거북이 껍질로 된 작은 방울이었소. 그 방울을 손에 들었다가 땅바닥에 놓는 순간 연기와 함께 할아버지의 주술 능력은 모두 사라지게 되어 있었소. 그때 푸르렀던 하늘에 갑자기 구름 한 조각이 밀려오면서 사람 하나가 구름 위에서 소리쳤소. 그 방울을 절대 땅바닥에 놓지 말고 공중에 든 채로 태워 버리라고. 그가 바로 '길잡이 늑대'였소. 그가 아니었다면 할아버지 '새벽같이 잠깨어'는 힘을 잃고 아마도 그 자리서 목숨까지 잃었을 것이오."

"그렇다면 누구에게나 '길잡이 늑대'가 있나요?"

라싸가 또다시 눈을 빛내며 물었다. 그녀는 꽤나 순진한 구석이 있었다.

"그의 안내를 받으려면 당신은 이 네 가지 덕목을 갖추어야 하오. 정직성, 성실성, 선량함, 그리고 남을 보살피는 너그러운 마음이오."

그 네 가지 덕목을 듣는 순간 나는 고개를 저었다. 나는 어느 것 하나도 자격이 없었기 때문이었다. 차를 얻어 마시고 '독수리처럼 일어서'의 집을 나서면서 나는 구름 위의 남자 따위는 잊어 버리기로 했다.

떠나기 전에 인디언은 말했다.

"아무에게도 당신이 본 구름 위의 사람에 대해 말하지 마시오.

그것을 당신의 비밀로 간직하시오. 당신이 그것을 사람들에게 말하는 순간 그것은 담배연기처럼 사라질 것이오. "

그날 밤 라싸는 농담반 진담반으로 나더러 자신의 '길잡이 늑대'가 되어 주지 않겠느냐고 물어 왔다. 그것이 정확히 무슨 뜻인지 알 수 없었지만 나는 자격 미달이라고 거절했다. 더구나 그때까지 나는 라싸에게 내가 이미 결혼한 사실을 까맣게 숨기고 있었다. 라싸는 나를 진지한 구도자로만 알고 있었다. 그러니 정직성 부분에서 이미 낙제 점수였다.

라싸와의 아쉬운 작별의 시간이 다가왔다. 그녀는 고향 콜로라도에 잠시 들렀다가 네덜란드 여행을 계획하고 있었다. 떠돌이 동양 남자를 만나 애정을 가져 주고 함께 여행까지 한 그 너그러운 마음이 무척 고마웠다. 그녀의 삶에는 반드시 훌륭한 '길잡이 늑대'가 나타나리라고 나는 느꼈다.

헤어질 때 라싸는 나에게 크리스탈을 하나 선물했다. 외부의 부정적인 에너지를 차단시켜 의식을 보호해 주는 크리스탈이라는 것이었다. 그리고 그녀는 나에게 '구름 위의 남자'의 수수께끼를 풀게 되기를 기원한다고 말했다. 나는 그녀에게 줄 것이 아무것도 없었다.

라싸와 헤어져 로스엔젤레스로 돌아오면서 나는 나의 '길잡이 늑대'를 생각했다. 이렇게 떠돌아다니는 나를 마냥 내버려 두는 나의 한심한 '길잡이 늑대'여, 그대는 어디에 있단 말인가?

샴발라

　내가 구름 위의 남자를 다시 만난 것은 그로부터 이 년 후 스위스 에어라인을 타고 인도의 봄베이로 날아갈 때였다.

　내가 인도로 가기로 결정한 것은 나로서는 그것이 마지막 삶의 길이었기 때문이다. 젊은 날을 보내면서 나는 내 의식과 생각의 한계를 느꼈다. 그것은 내 삶에 그대로 나타났다.

　밤새워 책을 읽고 때로는 눈을 감고 앉아 있어도, 뭐랄까, 어렸을 때 집 앞에 있던 깊은 우물처럼 퀭하고 공허한 무엇이 내 안에 있었다.

　돌을 던지면 깊은 그곳에서 울려퍼지던 소리처럼 때로 현실의 일들이 내 안의 공허한 우물 속으로 던져질 때마다 견디기 힘들었다.

　우리를 삶에서 지쳐 쓰러지게 하는 것은 병과 고독이 아니다. 더

근원적인 무엇, 무의미함, 그것도 한번으로 끝나는 것이 아니고 삶의 전체를 지배하는 일상적이고 무의미한 행위들, 그러한 것들이 우리를 병들게 하고 고독하게 하는 것이다.

반면에 우리가 자랑하여 마지않는 이 사회가 우리의 공허감을 채우기 위해 해주는 것이 도대체 무엇이란 말인가? 아무것도 없다. 아무것도. 그러면서 그 아무것도 아닌 것들이 우리에게 삶의 희생을 강요하고 있다. 차라리 돈이라도 훔쳐서 어디론가 달아날 수도 있다. 하지만, 그래서 어디로 달아날 것인가?

나는 그 도피처를 인도로 정했다. 인도에는 무엇이 있을 것만 같았다. 이 삶에서 나를 채워 주지 못하는 어떤 것이 인도라는 나라에 가면 붙잡을 수 있을 것 같았다.

홍콩을 거쳐 인도의 봄베이로 향해 가는 비행기 안에서 나는 잠시 잠이 들었다. 그리고 나는 그 꿈 속에서 내가 살아온 인생의 과정들을 영화 화면처럼 빠른 속도로 다시 보게 되었다. 어린시절이 끝날 무렵 나 혼자 가족을 떠났던 일, 차라리 만나지 않았으면 좋았을 애인들, 문학에의 열정과 꿈들, 구도의 길과 결혼⋯⋯.

눈꺼풀이 축축해져서 나는 잠이 깼다. 소매로 눈을 닦으면서 나는 비행기 창밖으로 시선을 돌렸다. 어둠이 오고 있었다. 그전에 황혼이 하늘 전체를 붉게 물들이고 있었다.

그때 나는 다시 그 남자를 보았다.

양복에 조끼까지 걸친 그 남자가 역시 한 손에 신사모자를 들고 구름 위에 서서 나를 향해 손짓하고 있었다. 잠시 나는 내가 계속해서 꿈을 꾸고 있다고 생각했다.

그러나 꿈이 아니었다.

그 사람은 분명히 황혼이 붉게 물든 구름산 중의 한 곳에 서서 두 팔을 벌리고 나를 향해 소리치고 있었다.

"나는 너를 만나고 싶다. 너에게 내가 안 사실들을 말해 주고 싶다."

나는 눈이 확 떠져서 비행기의 손바닥만한 유리창에 얼굴을 갖다 대었다. 하나도 변하지 않은 모습으로 그가 다시 내게 나타난 것이다.

"당신은 도대체 누구요? 나에게 말해 주려는 것이 대체 무엇이란 말이오?"

나는 이번에야말로 그의 정체를 확인하고 싶었기에 옆자리의 승객은 신경쓸 겨를이 없었다.

역시 그가 내 생각 속의 질문을 알아차린 듯 멀리서 대답했다.

"나는 너의 '길잡이 늑대'다!"

나는 갑자기 그가 나를 놀리고 있다는 생각이 들었다. 그리고 어쩌면 그는 나의 생각과 경험 속을 모두 꿰뚫어보고 있는 듯했다. 다시 말해 그는 내가 인디언 '독수리처럼 일어서'와 나눈 대화를 다 알고 있는 것 같았다.

나는 화가 나서 외쳤다.

"나는 당신 같은 길잡이가 필요 없소. 당신 없이도 잘 살아가고 있으니 나를 더 이상 혼란시키지 마시오."

그러자 그가 되받아쳤다.

"너는 마음의 명령에 따라서 살고 있는가? 너는 너의 마음이 명령하는 대로 일을 하고 있는가?"

나는 다시 그에게 약점을 찔리고 말았다. 그는 황혼이 물들어가는 구름 위에서 의기양양하게 외쳐대고 있었다.

"너는 인생이 고달프다. 너의 관계들을 보라. 네가 이 삶 속에서 맺고 있는 관계들을 보라. 그것들이 너를 피곤하게 하지 않는가? 잘 생각해 보라. 너는 그러한 삶을 원치 않는다. 네가 진정으로 원하는 삶은 다른 것이다."

나는 약간 풀이 죽었지만 그래도 쉽게 물러서진 않았다.

"그럼 나더러 어떤 삶을 살라는 거요? 당신처럼 구름 위나 걸어다니란 말이오?"

그는 내 항의에는 아랑곳하지 않았다.

"너의 마음이 담긴 길을 걷고 있지 않다. 다만 생각에 끌려다닐 뿐이다. 먼저 집착을 버려라. 그것이 무엇이든지, 너의 삶에 어떤 일이 일어나든지, 그 모든 것을 흐르는 구름이라고 생각하라. 그리고 너는 푸른 하늘로 남아 있어라. 쉴새없이 흐르는 구름이 되지 말고 너는 '주시하는 자'가 되라. 그러면 너는 사념에서 해방될 것이다."

"나는 그렇게 할 수 없어요. 해봤지만 안 됩니다."

"너는 진정으로 해본 적이 없다. 흉내만 냈을 뿐이다. 내가 하는 말을 잘 들어라. 나는 지금 네 안에서 말을 하고 있다. 너는 먼저 사념의 구름 위로 날아올라야 한다. 그리하여 나는 너를 '샴발라'로 데려가고 싶다."

"샴발라?"

'샴발라'라는 말이 나를 흥분시켰다.

그것은 내가 책에서 읽은, 인도 북부의 어느 지역에 있다는 전설의 왕국이었다. 신비 역사에 따르면 그 왕국은 지하세계에 있으며,

히말라야에 거주하는 대스승들에게서 입문식을 거친 사람만이 그 입구를 발견할 수 있다.

유럽 사람으로는 예수회 선교사였던 카셀라와 카브랄 두 사람이 최초로 샴발라에 대한 언급을 했는데 그들은 히말라야의 부탄 지역에서 선교사업을 하다가 그 전설적인 왕국의 존재를 알고서 1627년 그곳을 찾아 여행을 떠났다.

어떤 주장에 따르면 그들이 결국 샴발라의 입구를 발견했다고 하지만, 또다른 주장은 그들이 도달한 곳은 티벳이었을 뿐이라고도 하고 있다. 그 이후 많은 구도자들이 샴발라의 입구를 찾는 시도를 했지만 성공해서 돌아온 경우는 문헌에 없었다. 인도의 전설에서 말하는 '아가르타'나 불교와 힌두교 신화에 등장하는 '흰섬[白島]'도 샴발라를 말하는 것이라는 해석이 있으며, 그렇게 따지면 우리나라의 전설의 섬 '이어도' 역시 같은 해석을 내릴 수도 있는 일이었다.

"당신이 샴발라로 가는 길을 알고 있단 말인가요?"

"그렇다. 나는 그 길을 알고 있다."

구름 위의 남자는 검은 신사모자를 흔들어댔다. 그 순간 그의 뒤쪽에서 새 한 마리가 구름 위로 솟아올랐다가 사라졌다.

내가 물었다.

"어떻게 하면 그곳으로 갈 수 있죠?"

그는 말했다.

"날아서 간다."

"날아서 간다구요? 비행기를 타고 갑니까, 아니면 새처럼 날아가란 말입니까? 난 당신처럼 구름 위를 걷는 능력이 없다는 걸 모르시나요?"

"날아서 간다는 것은 곧 초자연적인 힘으로 간다는 것이다. 너의 사념 위를 날아서 간다는 뜻이다. 너는 샴발라에 대해 잘못 알고 있다. 네가 알듯이 샴발라는 지리상의 어느 곳에 위치해 있는 것이 아니다. 샴발라는 바로 네 곁에 있다. 너는 언제든지 그곳으로 날아갈 수 있다."

그의 말을 알 것 같기도 했고 모를 것 같기도 했다. 구름이 점점 더 황혼에 물들어 어느새 구름 저편에는 투명에 가까운 푸른 어둠이 둘러쳐지고 있었다.

"샴발라는 어떤 세계인가요?"

"절대 평온의 세계다. 큰 의식이 모든 물질계와 현상계를 지배하는 세계다. 그곳에는 언제나 절대 평온만이 있으며 과거 현재 미래가 동시에 존재한다. 그 세계에서 너는 모든 일을 주재하는 절대자이며 동시에 초월자다. 너는 삶에 이끌려 다니는 존재가 아니라 삶을 이끌어가는 존재다."

창 쪽으로 너무 오래 시선을 주고 있어서 목이 뻣뻣했지만 나는 이제 그가 환영 속의 인물이 아님을 알 수 있었다.

비행기의 진행 방향을 따라서 구름 위를 이동하고 있는 그를 나는 웬지 오래전부터, 또는 어린시절부터 알아온 듯한 느낌이 들었다. 그리고 그가 이 세상 누구보다도 나를 생각하고 자비와 애정을 가진 존재라는 것을 알았다.

나는 그에게 물었다.

"어떻게 하면 당신을 만날 수 있습니까?"

"나는 구름 위에 있지 않다. 내가 서 있는 이 구름은 너의 내부에 있는 것이다. 네 안을 자세히 들여다보라. 그러면 나를 발견할 것이다. 나는 네 안에 있는 너 자신의 진정한 목소리다. 이제부터 너는 사념의 구름 위를 걷는 법을 배워야 한다. 그때 홀연히 나를 만날 수 있을 것이다."

그와의 작별을 예고하듯 하늘 저편에서 어둠이 빠르게 물밀려오고 있었다. 그가 모자를 흔들면서 나에게 소리쳤다.

"사념의 구름 위로 날아라. 사념의 구름 위를 걸으라. 그리하여 절대 평온의 샴발라에 이르라."

그러면서 그는 비행기 뒤로 서서히 멀어져 갔다.

삶에서 만난 스승들

새벽 한시가 넘어서 내가 탄 비행기는 인도의 봄베이에 내렸다. 짐가방을 들고 온통 밤안개에 젖어 눅눅한 봄베이 국제공항을 빠져 나오는 순간 한밤중인데도 불구하고 수많은 인도인들이 나에게 달려들었다. 택시와 호텔 안내자들, 거렁뱅이들, 더럽고 때묻은 아이들과 여자들, 그들의 크고 깊은 눈이 내 가슴을 파고들었다. 그것이 나와 인도와의 첫번째 만남이었다.

국내선 공항으로 가는 버스 안에서 내다본 인도의 밤풍경은 이국적이다 못해 다른 별의 모습 같았다. 마치 죽은 새들처럼 노천에 쓰러져서 자는 수백 명의 가난한 사람들, 길가의 누더기 집들이 드문드문 선 아열대 나무들과 함께 시선에 들어왔다. 영적인 추구는 곧 물질의 가난함을 낳기라도 하듯이, 그들은 마치 우리가 자랑하여 마지 않는 깨끗함과 안락함이 안중에도 없다는 듯이 살고 있었다.

맨발의 청소부가 지나다니는 국내선 청사에서 밤을 새운 나는 새벽녘 다시 비행기를 타고 '뿌나'라는 고원도시를 향했다. 아침 일곱시, 밤의 안개는 다시 아침의 안개로 이어져 있었다. 꿈의 파편들처럼 여기저기 새들이 날았다.

비행기에서 내린 나는 다시 세발택시를 타고 한참을 달려 라즈니쉬 아쉬람(명상처)으로 향했다. 인도 특유의 드넓은 들판 위로 붉은 태양이 솟아오르고 아침의 햇살 속으로 자전거를 탄 수많은 인도인들이 어디론가 쓸려가고 있었다.

세발택시가 뿌나의 강을 건너자 아쉬람이 나타났다. 많은 서양인 구도자들이 이른 시간이지만 걸어서 또는 자전거를 타고서 아쉬람으로 들어가고 있었다. 나도 그들의 물결에 합류했다.

그날 저녁 나는 일만 명의 구도자들이 모인 명상홀에서 라즈니쉬를 만날 수 있었다. 그렇게 해서 나의 새로운 삶의 체험이 시작되었다. 그곳에는 춤이 있고 일이 있고 명상이 있었다. 순간순간 일어나는 음악이 있었다. 스승과의 침묵의 만남이 있었다.

삶에서 너는 어떤 스승을 만났는가?

이 별에 와서 너는 어느 앞서간 여행자를 만나 그의 말에 귀 기울였는가?

한 사람이 있었다. 그는 나무꾼이었다. 날마다 그는 숲으로 가서 나무를 했다. 숲 입구에서 그는 늘 한 사람을 만나곤 했다. 그 사람은 숲으로 들어가는 길의 나무 밑에 앉아서 햇볕을 쪼이고 있었다.

하루는 그 사람이 나무꾼을 불러서 말했다.

118

"여기 와서 좀 앉으시오. 나랑 얘기 좀 합시다. 당신은 날마다 나무를 해나르는 것이 힘들지 않소?"

나무꾼이 한숨을 쉬며 대답했다.

"그렇습니다. 난들 이 일이 좋아서 하겠습니까마는, 먹고 살려니 별 수 없지요."

나무 밑의 사람이 말했다.

"당신은 정말 바보 같은 사람이오. 내가 당신에게 비밀을 한 가지 말해 주리다. 당신은 늘 이 숲에서만 나무를 하는데, 그러지 말고 숲 뒤의 산 속으로 조금만 들어가 보시오. 그곳에는 아직 사람의 눈에 띄지 않은 구리광산이 하나 있소. 힘들게 나무를 하지 말고 구리를 캐다가 파시오. 그러면 먹고 사는 데 걱정이 없을 것이오."

그래서 나무꾼은 산으로 갔더니 과연 말대로 큰 구리광산이 숨겨져 있었다.

이제 그는 힘들게 나무를 해다 팔 일이 없어졌다. 그 대신 구리를 캐다 팔아 충분한 돈을 벌 수 있었다. 그는 정신없이 구리를 캐 나르느라 숲을 오가면서도 입구에 앉은 사람에게 제대로 인사 한번 할 겨를이 없었다. 남들이 눈치를 채기 전에 서둘러 구리를 캐어야 했다.

그렇게 여러 해가 흘렀다.

광산의 구리도 바닥이 날 무렵 나무 밑의 사람이 다시 이 남자를 불러세웠다.

"여보시오. 여기에 와서 좀 앉으시오. 당신은 날마다 구리를 캐나르는 것이 힘들지도 않소?"

나무꾼이 말했다.

"힘들기야 하지만 그것밖에는 달리 돈 벌 일이 없으니까요. 그리고 나무를 해다 팔 때를 생각하면 팔자가 폈지요."

나무 밑의 사람이 말했다.

"당신은 정말 어리석은 사람이오. 왜 그 산 옆의 골짜기로 들어가지 않소? 그곳에 가면 금이 수없이 매장된 광산이 있단 말이오. 어서 금을 캐다가 파시오."

그의 말대로 산 옆의 골짜기로 가 보았더니 말대로 훌륭한 금광이 그때까지 감추어져 있었다. 이제 그는 자신의 어리석음을 탓하면서 금을 캐다가 팔기 시작했다.

금은 그에게 많은 돈과 함께 만족감을 가져다 주었다. 또한 날로 사업이 바빠졌다. 이제 그는 옛날의 나무꾼이 아니었다. 한때 그를 먹여 살렸던 숲의 나무들은 거들떠보지도 않았으며, 거렁뱅이와 다를 바 없는 나무 밑의 사람과도 의식적으로 멀리했다.

그는 금을 조직적으로 생산 판매하기 위한 회사도 세웠으며, 돈 관리도 잘 하려고 애썼다. 재산이 많아지면서 그가 신경써야 할 일도 많아졌다. 가끔, 아주 가끔 옛날의 한가로웠던 나무꾼 시절이 생각나기도 했다.

그렇게 다시 여러 해가 지난 어느날 나무 밑의 사람이 이 나무꾼을 불러세웠다.

"당신은 내가 만난 사람 중에 가장 어리석은 사람이오. 왜 금광 옆으로 돌아서 이 숲의 남쪽으로 가 보지 않소? 그러면 그곳에 다이아몬드가 매장된 광산이 있을 것이오."

나무꾼은 그 사람의 말이 채 끝나기도 전에 그가 일러 준 장소로 달려갔다. 과연 그곳에 눈부신 다이아몬드 광산이 있었다.

이제 나무꾼은 큰 부자가 되었다. 사회에 자선사업도 하고 종교도 갖게 되었다. 그러면서 어느날 그는 자기에게 이렇게 큰 행운을 가져다 준 숲 입구의 거렁뱅이가 생각났다.

"그는 이 모든 엄청난 비밀을 나에게 가르쳐 주었다. 그런데 그 자신은 뭐란 말인가? 그는 왜 직접 이 보물들을 내다 팔아서 거지의 생활을 면하지 않는가? 날마다 사람들이 던져 주는 음식이나 받아 먹으면서 나무 밑에서 거적때기를 덮고 생활하는가?"

그는 웬지 속은 듯한 기분이 들었다. 그리고 자신이 온통 환상 속에서 살아온 것 같았다.

그래서 옛날의 그 나무꾼은 숲 입구로 달려가서 그 사람에게 따졌다.

"당신은 도대체 누구요? 당신은 이 모든 비밀을 알고 있으면서 왜 거지처럼 살고 있소? 당신이 원하는 것이 무엇이오?"

그러자 그 사람은 조용히 말했다.

"서둘지 말고 그곳에 앉으시오. 당신이 다시 찾아오기를 기다리고 있었소. 당신은 정말 어리석은 사람이오. 다이아몬드 광산에 정신을 잃을 것이 아니라 왜 그곳을 약간 돌아서 이 숲으로 빠져나오지 않소? 그러면 나무 밑에 앉아 있는 한 사람을 발견할 것이오. 그 사람이 바로 생의 비밀을 모두 알고 있는 나인 것이오."

햇빛이 그의 머리 위로 내리비치고 있었다. 나무꾼은 처음으로 그가 무척 평화로워 보였다. 그에게선 생을 초월한 의지가 엿보였으며, 누더기 사이로는 진정한 인간의 아름다움이 흘러나왔다.

그래서 나무꾼은 그 사람의 제자가 되었다. 나무꾼은 모든 것을 버리고 숲 입구의 나무 밑에 함께 앉았다. 비로소 햇살이 느껴지고 바람이 피부로 다가왔다. 그리고 자신이 추구하던 세속의 삶이 오랜 환상임을 깨달았다.

문 없는 문

처음에 나는 많은 것을 배우고 뭔가 이 삶에서 알아야 할 것들이, 가치있는 것들이 있다고 믿었다. 그러나 차츰 그것이 무너지기 시작했다. 아무것도 찾을 것이 없으며, 내가 삶에서 얻은 것은 허무였다. 별빛을 받으며 밤의 집 주위를 걸어다니면서 나는 생각했다. 내가 얻을 것은 없다. 아무것도. 무엇이 과연 가치있단 말인가?

내가 얻은 것은 허무였다. 무엇이 참 슬프고 무엇이 참 기쁜지도 나는 몰랐다. 그 허무에서 나는 진정으로 가치있는 것을 찾기로 했다.

그 진정한 가치를 일깨워 주는 스승들이 나에겐 필요했다. 무지의 밤이 영원하지 않으며 곧 깨달음의 새벽이 찾아오리라는 것을 알고 싶었다. 그래서 만난 것이 브하그완 슈리 라즈니쉬(그는 세상을 떠나기 전에 이름을 '오쇼'로 바꾸었다)와 지두 크리슈나무르티, 바바 하리 다스, 라마나 마하리쉬를 비롯한 인도의 스승들이었다.

우팔라 고파르지라는 이름의 청년이 있었다. 그는 진리 탐구나 모든 종교적인 행위에 대해 회의적이었다. 어느날 한 친구가 그를 아루나찰라의 성자라고 일컬어진 라마나 마하리쉬에게 데려갔다. 여전히 회의적이고 반항적이었던 그는 라마나 마하리쉬에게 물었다.

"깨달음의 체험이라는 것이 과연 있기나 합니까?"

라마나 마하리쉬가 대답했다.

"분명히 있다."

우팔라가 물었다.

"당신은 그 체험을 했습니까?"

"그렇다."

우팔라가 다시 물었다.

"그럼 당신은 그 체험을 나에게도 줄 수 있습니까?"

라마나 마하리쉬가 되물었다.

"나는 그것을 너에게 줄 수 있지만 너는 그것을 받을 수 있는가?"

우팔라 고파르지는 말이 막혔다. 라마나 마하리쉬와 헤어져 돌아온 그는 깊은 의문에 사로잡혔다.

"그는 나에게 줄 수 있지만 나는 받을 수 없는 그것은 과연 무엇인가?"

그후 이십 년간 그것을 풀기 위해 그는 여행을 계속했으며 마침내 해답에 이르렀다.

사실 우리는 스승의 부재(不在) 시대에 젊은 날을 다 보내고 있
었다. 목청껏 외치는 선동가들과 장사꾼들은 많아도 우리의 영혼
을 바쳐 길의 안내자로 삼을 스승은 없었다. 더불어 그럴싸한 철학
과 논리가 판을 치지만 그것은 어디까지나 자신을 돋보이기 위한
수작일 뿐 진정한 삶의 이해에 도달한 자의 설법이 아니었다.

알베르 까뮈가 장 그르니에게 보낸 편지의 글처럼 "제가 이제
와서 선생님께 감사드릴 필요가 있을까요? 사람은 자신을 지켜주
고 인생을 안내해 준 사람들에게는 감사를 하지 않습니다. 그저 계
속 그 모습 그대로 있어 달라고 부탁할 뿐이지요. 선생님에 대한
우정을 간직할 수 있게 해 주십시오. 그것은 제 삶과 제 노력에 있
어서 본질적인 것이니까요. 그리고 겁만 많은 제자이며 진실한 동
지도 못 되지만 저를 믿어 주십시오" 라고 깊은 밤에 마음을 열어
보일 진실한 스승이 과연 우리 주위에 있었는가 하면 그렇지 않다
고밖에 말할 수 없다.

뿌나의 라즈니쉬 아쉬람에 도착했을 때 그곳에는 전세계에서 몰
려온 수많은 구도자들이 있었다. 그들은 모두 삶의 참뜻을 찾아 그
곳에 왔다. 그리고 오쇼 라즈니쉬 자신은 스승이기 전에 우리와 같
은 길을 걷는 동료 여행자이고자 했다. 다만 조금 앞서간 여행자……
…….

그곳에서 우리는 명상을 하고 스승의 말에 귀 기울였다. 아쉬람
으로 들어가는 정문에는 '문 없는 문(Gateless Gate)'이라고 작은
간판이 붙어 있었다.

그곳은 종교로 들어가는 문도, 세속적인 즐거움으로 들어가는 문도 아니었다. 오직 '나 자신'에게로 들어가는 문이었다. 그곳으로 들어가는 데에는 원래 문이 없는 것이다. '무문관(無門關)'이란 신비의 문으로 일컬어지지만 우리가 인위적인 문들을 세워 놓지만 않는다면 모든 것이 다 문이 될 수 있다.

우리는 그곳을 학교라고 불렀다. 그곳에서 일어나는 모든 일이 곧 나 자신을 비출 수 있는 거울이고, 나 자신에게로 들어가는 문이었다.

그곳에는 동서고금의 다양한 명상법들이 총망라되어 있었다. 불교의 참선에서 신비가 구제프의 수피 댄스에 이르기까지, 티벳의 치료 비법에서 유럽의 최면 심리요법에 이르기까지, 그리고 만다라 명상과 저녁마다 침묵의 다르샨(스승과의 만남)이 있었다.

또한 그림을 통한 명상, 아프리카 밀림 속의 춤을 통한 명상도 있었다. 그리고 무엇보다도 일을 통한 명상(working meditation)이 있었다.

위대한 사람과 하찮은 사람은 없다. 다만 위대한 일과 하찮은 일이 있을 뿐이다. 위대한 사람은 하찮은 일까지도 위대한 일로 만든다. 그가 하는 모든 하찮은 행동, 모든 하찮은 몸짓에서 그의 위대함이 흘러나온다.
──오쇼 라즈니쉬, 《장자, 도(道)를 말하다》에서

누구도 그곳에선 별을 꿈꾸지 않는다

　미스틱 로즈 메디테이션(Mystic Rose Meditation)은 하루 세 시간씩 일 주일은 웃고, 일 주일은 울고, 마지막 일 주일은 자신을 지켜보는 비파사나(觀 명상)로 이루어졌다. 노 마인드(No-Mind) 명상도 있었다. 그것은 무의미한 말을 마구 지껄여 무의식 속에 쌓인 것을 꺼내 놓는 명상법이었다. 며칠에 걸쳐 어린아이처럼 행동하는 명상도 있었다.

　이 얼마나 미친 짓이었던가! 그러나 이 미친 세상을 진정으로 미치지 않고서 어떻게 살아갈 수 있으랴! 미친 자만이 이 미친 세상을 살아갈 수 있다는 역설적인 진리를 우리는 배웠으니, 삶을 살면서 진정으로 웃어 본 적도 없고 진정으로 울어 본 적도 없는 우리의 가슴이 그곳에서 폭발해 버렸다. 말 그대로 시간도 공간도 없는 그곳에서 우리의 존재는 때로 꽃이 터지듯, 때로 폭죽이 터지듯, 때로는 엄청난 다이너마이트가 터지듯 의식의 폭발을 경험했다.

누구도 과거의 인간이 아니었다. 새로운 향기가 존재 깊숙이 심어졌으니까.

밤이면 그곳에 고요함이 찾아온다. 구도자들을 실어 나르는 세 발택시들, 길가에 늘어서서 "하이, 바바! 빠빠야!"를 외치며 열대 과일을 파는 인도인들, 양손의 손가락이 모두 없어져 버렸으면서도 어린아이와 다를 바 없이 순진무구하던 문둥이 거지, 그가 부는 날마다 똑같은 곡조, 내가 얻은 아파트의 입구를 지키던 늙은 인도인, 보름달 밤에 그가 불러 보이던 뜻 모를 인도 노래들…….

흩날리는 주문처럼 그들이 모두 어디론가 가 버리면 인도의 밤이 찾아온다. 갑자기 고요가 밀려온다. 마음의 적막함이, 마치 내가 유령처럼 이 삶을 떠돌아다니고 있는 것 같다는 허전함이 다가온다.

하루는 강 건너 화장터로 낯선 장례식을 보러 갔다. 죽은 자의 살점을 넓은 잎사귀에 얹어 놓자 나무 위에서 때를 기다리던 까마귀들이 날아와 그것을 쪼아 먹었다. 장례식이 끝나자 남자들은 강물에 목욕을 했다.

죽음은 어디서나 슬픈 일이다. 나는 곧잘 그 화장터로 가서 인도의 장례의식을 지켜보곤 했다. 그때를 회상하니 갑자기 내 의식이 토막토막 끊어진다. 그 장면들이 언뜻언뜻 나타났다가 지워진다. 누군가는 울었던 것도 같고, 누군가는 향연기를 피워댔던 것 같다. 아니, 나더러 저쪽으로 가라고 소리쳤던 것 같다. 어쩌면 그것은 옆에서 날아오르던 새들의 날개 치는 소리였을까? 모르겠다. 잘 기억이 나지 않는다. 나는 이 모든 것을 꿈 속에서 보았을까? 그렇다. 환각이었다.

어느날 인도 친구를 만나서 독한 술을 마셨던 적이 있다. 음습한 방안에 쪼그리고 앉아 나는 그 독한 술을 가슴 깊숙이 들이마셨다. 술잔이 서너 바퀴 돈 다음 나는 갑자기 귀가 예민해지기 시작했다.

주위의 모든 소리가 한꺼번에 내 귀 속으로 쏟아져 들어왔다. 벌레소리, 어린애 울음소리, 떠드는 소리, 텔레비전 소리, 그 중에서도 한 인도 여인의 간드러진 노랫소리가 나를 사로잡고 놓아 주지 않았다.

나는 그 소리를 찾아 집을 나섰다. 어디서 나는 노랫소리일까, 근처에서 무슨 축제가 벌어진 걸까, 아니면 이게 다 환각일까, 나는 알지 못했다. 넘어져 무릎이 까지면서 나는 두 시간이 넘도록 근처 마을을 돌아다녔다. 계속해서 그 인도 여인의 노랫소리가 나를 불렀다. 먼 듯 가까운 듯, 나는 독한 술에 취한 것 같기도 하고 그렇지 않은 것 같기도 했다.

길가의 인도인들이 유령처럼 다가왔다가 멀어진다. 개와 염소들도 나를 쳐다본다. 나는 또 넘어진다. 손바닥에서 피가 흐른다. 신발은 어디선가 벗겨지고 맨발이다. 흙의 감촉이 느껴지는 듯하다. 그래도 저 노랫소리가 나를 사로잡고 놓아 주지 않는다.

약간 정신이 든 나는 결국 노래 부르는 여인을 찾지 못하고 다시 그 인도인 친구의 집으로 돌아왔다. 이층에 있는 그 집으로 들어서면서 나는 외부로 난 계단 난간에서 어떤 광경을 목격했다. 바로 그 집의 뒤뜰에서 한 무리의 인도인들이 춤과 노래를 즐기고 있었다. 그리고 한 여인이 노래를 부르고 있었다.

아, 내가 찾던 것이 여기에 있었구나. 바로 내 곁에서 들리는 소리였구나. 그것을 나는 알지 못했던 것이다.

우리가 삶에서 찾아 헤매는 것도 그렇지 않겠는가. 우리가 찾는 것, 그것은 지금 여기, 이 곁에 있지 않겠는가 말이다.

뜨거운 햇볕을 받으며 어느 언덕인가를 올라간 적도 있었다. 독한 술보다 더 강한 햇볕이 나를 취하게 만들었던 것 같다. 언덕의 흙으로 된 난간을 붙잡고 걸어 올라가는데 문득 어떤 눈부신 섬광을 나는 보았다. 처음에는 눈 한쪽의 티처럼 느껴지던 그것이 서서히 커져서 마침내 태양처럼 둥글어지는 것이었다. 그래서 하늘에는 두 개의 태양이 떠 있는 셈이 되었다.

언덕 위에서 나는 비틀거렸다. 그 빛이 차츰 나에게로 다가오더니 급기야는 내 이마 한복판으로 꿰뚫고 들어오는 것이었다. 순간 나는 눈이 멀어 버리는 듯하고 두개골이 부서질 듯했다. 그것은 내 사념과 과거의 기억을 모두 불태워 버리려고 작정한 듯싶었다.

나는 언덕을 마구 달려 내려왔다. 내가 사라지는 두려움을 이길 수 없어서 아무런 것이라도 붙들고 싶었다. 그 태양이 끝까지 나를 따라왔다. 아예 나를 죽여 없애기로 한 것 같았다. 근처의 들판으로 도망친 나는 아무리 달려도 그 태양에게서 벗어날 길이 없었다.

그래서 포기하고 숨을 헐떡이며 들판에 누워 버렸다. 태양이 이번에는 내 정수리를 부수고 안으로 들어왔다. 나는 기절해 버렸다.

한참 후에 나는 다시 그 들판에서 깨어났다. 어느새 어둠이 밀려오고 있었다. 그런가 하면 순식간에 별들이 나타났다. 나는 다시 그곳에서 잠들었다.

아쉬람 둘레에는 오백 년 이상 묵은 나무들이 길고 긴 행렬을 이

루고 있었다. 나무가 너무 오래 산 나머지 멀쩡한 가지마다 뿌리가 내려서 주렁주렁 땅으로 이어지고 있었다. 그것들은 나무가 아니라 사람 그 자체였다. 그 길을 걸을라치면 나무들이 나에게 말을 걸어왔다.

그 늙디늙은 나무들 아래로 혼자 걷는 것이 나는 좋았다. 밤 깊은 시간이면 나는 방을 빠져 나와 몇 시간이고 그 길을 걸었다. 낮 동안의 뜨거운 기온도 물러가고 새들도 소리내지 않았다.

삶을 돌이켜봄도, 미래에의 기대도 그곳에는 없었다. 회한이나 슬픔마저 가라앉고 내가 돌아가야 할 곳도 돌아온 곳도 없었다.

어느날인가는 그 나무 밑을 걷다가 한 피리소리에 이끌려 걸음을 옮기기도 했다. 한 독일 친구가 그곳에서 대나무 피리를 불고 있었다. 그 밤을 우리는 함께 피리를 불면서 새웠다. 새벽에는 들판으로 나가서 멀리 떠오르는 해를 바라보았다.

영국에서 온 한 친구는 명상홀에서 하루종일 '휠링 명상'을 하곤 했다. '휠링(whirling)'은 회전(回轉)으로, 이 명상은 러시아 태생으로 일찍이 인도, 티벳, 중국, 소아시아 일대를 여행하면서 온 갖 신비가들을 만난 조지 구제프가 현대인에게 맞도록 만든 명상이다. 말 그대로 두 팔을 벌리고 그 자리에 서서 빙빙 도는 명상이다.

육체가 회전하는 가운데, 회전하지 않는 존재의 중심을 지켜보는 것이 이 회전명상의 핵심이다. 마치 회오리바람의 중심이 정지해 있듯이 존재는 회전하는 육체 한가운데서 고요히 정지해 있는 것이다. 회교의 한 신비가는 이 회전명상을 여든여섯 시간이나 쉬지 않고 해서 깨달음에 이르렀다고 한다.

그 영국 친구는 아침부터 저녁 다르샨 직전까지 혼자서 그 회전 명상을 했다. 벽이 없이 툭 터진 명상홀의 한 구석에서 그는 삶의 어떤 것을 떨쳐 버리기 위해 그토록 오랜 시간 빙빙 돌았을까?

짧은 기간이었지만 그곳 뿌나의 라즈니쉬 아쉬람에서의 일들을 나는 잊을 수 없다. 그것들은 마치 추운 겨울날에 들판에서 발견한 예기치 않았던 신비의 꽃처럼 내 기억 속에 자리잡고 있다.

넓은 명상홀에서 펼쳐지는 춤과 명상, 그리고 환희와 순수 존재의 순간들, 그것들을 어떻게 이름붙이면 좋은가? 고요히 눈을 감고 앉아 있으면 머리 위의 키 큰 나무들에서는 물방울들이 떨어져 내렸다. 그러면 어디선가 피리소리가 들리고 알 수 없는 무엇이 손에 잡힐 듯 춤추며 다가오는 것이었다.

그리고 스승은 우리에게 고정된 집을 짓는 것을 허락하지 않았다. 어떤 건물이 완성될 쯤이면 그는 그것을 부수고 다시 짓게 했다. 우리는 그곳에 집을 완성하러 온 게 아니라는 것이었다. 그래서 늘 어느 구석에선가 작업이 진행중이었으며, 그것이 곧 명상이었다.

누구도 그곳에선 별을 꿈꾸지 않았다. 모두가 독특하고 아름다운 별이었다.

내가 아쉬람에 도착한 며칠 후 백조 두 마리가 '노자의 집(Lao Tze House)' 앞의 연못에 여행을 왔다. 어느 제자가 스승에게 바친 선물이었다. 그 백조를 바라보고 앉아 있는 것이 나에게는 가장 좋은 명상이었다.

백조여, 너의 지난 이야기를 들려다오

너는 어디에서 왔으며
어느 물기슭으로 날아가는가
밤이 오면 너는
어디서 휴식을 취하며
네가 찾아 헤매는 것은 무엇인가

아침이 왔다, 백조여
일어나라, 잠에서 깨어
나를 따르라
저기 슬픔도 의심도 없는 나라가 있다
더 이상 죽음의 두려움이 없는 나라가 있다
——까비르(15세기 인도 신비주의 시인)

우리 제자들은 자신들을 '흰 백조의 무리(White Swan Brother
hood)'라고 불렀다. 다르샨 때 모두가 흰 옷을 입고서 침묵 속에
스승과 만났기 때문이다.

도중에 병이 들어 잠시 귀국했던 나는 한 달도 채 안 되어서 다
시 그곳으로 갔다. 아직 다 맛보지 못한 것들이 아직 그곳에 있었
기 때문이다.

그러던 어느날 나는 스승의 죽음을 예감했다. 이제 그가 육체의
옷을 벗을 순간이 다가온 것이다. 그 예감에 나는 슬픔을 이길 수
없었다. 그래서 나는 그곳을 떠나기로 했다. 영원히 살아 있는 그
의 모습을 내 안에 간직하고 싶었다.

임제 선사의 스승이 세상을 떠났을 때 임제가 너무 슬피 울자 사

람들이 나무랐다.

"생과 사를 초월했다고 하는 사람이 어찌 그렇게 슬피 우는가? 아직도 생사의 진면목을 깨치지 못했단 말인가?"

그러자 임제가 말했다.

"나는 생과 사를 초월했지만 내 눈은 아직 그렇지 못하다. 날마다 스승의 모습을 보던 내 눈이 이제 그를 볼 수 없음을 슬퍼하면서 끝없이 눈물을 흘리는데 난들 어쩌란 말인가!"

백조는 날아갔다
산 너머 호수로
이 작은 연못에서
왜 자꾸만 백조를 찾고 있는가
그대 어리석은 수행자여
백조는 날아갔다
산 너머
빛의 호수로
백조는 가 버렸다
허공에 아무런 자국도 남기지 않고
──까비르

마음의 강

그후 구름 위의 남자는 어떻게 되었는가?

어느날 명상중에 나는 그 구름 위의 남자를 다시 보았다. 눈을 감고 앉아 있을 때 그가 내 안의 구름 위를 걸어 나에게 다가왔다.

그는 나에게 많은 것을 말해 주었다. 존재에 대해, 이 삶의 신비에 대해, 그리고 절대평온의 샴발라로 가는 길에 대해.

나의 명상이란 곧 구름 위의 남자와의 대화였다. 그 대화를 나는 언어로 전할 수 없다. 세상에는 언어로 표현이 가능한 것과 그렇지 않은 것이 있다. 언어 너머의 세계가 있다. 그것을 세상의 언어로 붙잡으려 한다는 것이 얼마나 어리석은 짓이랴.

어느 아메리카 인디언 부족에 대한 이야기를 읽은 적이 있다. 그 인디언들이 사는 마을 저편에는 오래전부터 있어 온 강이 하나 흐르고 있었다. 그 강은 인디언들의 역사만큼이나 오래된 것이었다.

그리고 그 강에는 신비의 한 남자가 살고 있었다.

인디언들은 저마다 홀로 그 강에 다녀오곤 했다. 가서 그 신비의 남자와 대화를 나누었다. 그러나 이상하게도 인디언들은 결코 그 강에 대해서, 그리고 그 남자에 대해서 이야기를 하는 법이 없었다. 마치 그러한 것들이 존재하지 않는 것처럼 행동했다. 그리고 강에 갈 때는 꼭 혼자서 가곤 했다.

어느날 어린 사내아이와 여자아이가 처음으로 그 강에 다녀왔다. 그것은 신나는 모험이었다. 그들은 날이 저물도록 강가에 남자와 많은 이야기를 나누었다.

두 아이는 마을 어른들에게 자기들이 다녀온 강에 대해 설명했다. 그러나 어른들은 한결같이 그런 강이 어디에 있느냐고, 그런 강은 있지 않다고 말하는 것이었다. 더구나 강가에 사는 남자란 있을 수 없다고 했다.

억울하게 거짓말쟁이가 되어 버린 두 아이는 다음 날 다시 강으로 나가서 그 남자를 만났다. 그리고는 자신들이 거짓말쟁이가 아니라는 것을 마을로 가서 증명해 달라고 졸랐다.

그 남자는 아이들에게 조용히 말했다.

"나는 너희들의 마음의 목소리다. 그리고 이 강은 마음의 세계로 들어가는 길이다. 그 길에서 만난 나에 대해서 누구에게도 설명하려 해선 안 된다. 그러면 어느새 거짓말쟁이가 되어 버린다. 말을 하는 순간 마음의 비밀은 약초의 연기처럼 사라져 버린다."

인디언 마을의 어른들은 그 사실을 깨닫고 있었다. 그래서 아무도 자기가 강가에 나가서 체험한 것들을 말하지 않았던 것이다.

나는 드디어 구름 위를 걷는 법을 배우게 되었다. 생각만으로 그곳에 가 있는 법을 배웠다. 더 나아가 우리가 서 있는 이 견고한 현실이라는 것이 그 속을 자세히 들여다보면 구름 같은 허망한 것들을 바탕으로 서 있다는 것을 알게 되었다.

한없이 불확실하고 유동적인 구름의 입자들이 모여 우리가 서 있는 이 바닥을 지탱하고 있으며, 사실은 우리가 그것을 깊이 들여다볼 줄 아는 '눈'을 갖고 있지 못하기 때문에 그것이 견고하다고 생각하는 것이라는 사실을 알았다. 그것은 우리가 만들어낸 환상이며 속임수다.

사실 우리는 모두가 구름 위를 걷고 있는 것이다.

그것은 진리였다.

구름 위의 남자는 말했다.

"네가 '눈'을 갖는다면 너는 수많은 안내자들이 구름 위에서 너에게 손짓하고 있음을 알게 될 것이다."

나는 그를 본다.

구름 위의 남자를 본다.

그가 오쇼 라즈니쉬인지, 또는 내가 삶의 길에서 만난 많은 스승들의 종합인지는 모른다.

그러나 나는 삶도 없이, 죽음도 없이, 시간도 없이, 공간도 없이 존재하는 그를 본다. 발 없이 걷고 날개 없이 날고 입 없이 노래부르는 그를 본다. 그의 향기가 나를 적신다. 내 존재가 그의 존재와 하나가 된다. 아, 고통과 욕망에 시달리던 나의 인생아, 나는 너를 떨쳐 버렸노라.

그래서 이제 나는 오쇼 라즈니쉬라는 이름을 내 안에서 지워 버렸다. 그에게서 받은 산야신(제자) 이름도 버렸다. 두 발로 걷게 된 사람에게 목발은 필요 없는 것이다. 강을 건넌 사람이 배의 고마움을 생각하고 늘 머리 위에 배를 짊어지고 다닐 필요는 없는 것이다.

어느날 나는 구름 위의 남자 라즈니쉬마저 내 마음 안의 잡념이라는 것을 알았다. 그 한 점 구름을 걷어내자 존재의 푸르른 하늘이 내게로 다가왔다.

나는 이제 '나'로서 살아갈 것이다.

임종을 맞이한 랍비 주시아가 주위에 모인 사람들에게, 또는 자기 자신에게 말했다.

"신은 나에게 '왜 너는 모세와 같은 삶을 살지 않았는가?'라고 묻지 않을 것이오. 그보다는 '너는 왜 주시아의 삶을 살지 않았는가?'라고 물을 것이오."

그해 크리스마스 이브의 새벽녘, 인도의 봄베이 국제공항, 서울행 스위스 에어라인에 올라타면서 나는 순간 인도에서 내가 보았던 모든 광경들이 다시금 내 눈에 스쳐 지나감을 보았다.

잘 있거라, 인도여! 내가 그토록 그리워하던 곳이여! 다시는 너를 만나러 오지 않으리라! 이것으로 이 생에서의 너와의 만남도 끝이려는가!

그렇더라도 나는 뿌나를 잊을 수 없다. 내가 이 삶에서 가 보았던 장소들 중에서 가장 나를 매혹시킨 곳, 그 작은 크기의 공간에서 감당할 수 없을 정도의 에너지가 뿜어져 나오던 곳, 미친 사람들처럼 웃고 울고 춤추고 그리하여 다시 존재의 깊은 침묵과 맞닥

뜨리던 곳, 그곳이 뿌나였다.

그러나 이제 그곳은 한 장의 꽃잎처럼 떨어져내렸다. 스승도 인간 육체의 유한성을 받아들이고 한 줌 연기가 되어 사라져 버렸으니, 그곳에 이제 추억만이 남았다.

내 언제 다시 그곳에 가 볼 수 있으랴. 다시는 이 지상에 존재하지 않을 그곳을. 한 위대한 인간 의식이 창조했던, 마치 이 지상에 존재하지 않는 것 같던 그곳을!

제 3 부
지구별 사랑

지구별 사랑

나에게 사랑한 여자가 있었다. 오월에 우리는 만나 첫눈에 반했
다. 아무도 그러한 순간이 찾아오리라고 예기치 못했으니 만남 그
자체가 신비였다.

유월의 강가로 걸어나가면 강물이 스스로 반짝여 주고, 그 반짝
이는 햇살은 우리가 오래 전부터 하나였음을 말해 주었다. 우리는
처음 만났을 때부터 전혀 낯설지 않았으며 마치 한 영혼을 소유한
두 개의 몸과 같았다.

비가 내려도 좋았다. 같은 바람을 맞으며 같은 공기로 호흡하는
우리는 몸이 떨어져 있어도 둘이 아니었다. 누가 이러한 순간들을
우리에게 준비해 놓았는지 우리는 알지 못했다. 다만 어떤 운명의
큰 물결이 우리의 만남을 위해 서둘러 달려왔음을 알았다.

사실 우리는 이 별에서 이 시간대에 만나기 위해 얼마나 많은 별

들을 여행해 왔겠는가? 또한 그 여행중에 얼마나 많은 사랑의 예 감에 몸을 떨었던가?

태양이 눈부신 날도 좋았다. 말을 하지 않아도 서로의 생각을 알 았고, 눈짓만으로도 서로를 위해 한숨지어 주었다.

눈 내리는 저녁도 좋았다. 창가에 새들처럼 쪼그리고 앉아서 내 리는 눈을 바라보며 우리는 영원한 사랑을 꿈꾸었으니, 우리 육체 의 유한함이 그토록 슬픈 것임을 예전에는 미처 알지 못했다.

하늘이 대지와 가장 가깝게 맞닿아 있는 시간, 새벽녘도 우리에 게는 좋았다. 우리가 숨 죽이고 있으면 태양은 마치 새로운 날들을 약속하듯이 산 너머에서 솟아올랐다.

내게 있어서 당신은 무엇인가? 왜 우리는 이 생에서 만났으며 또 헤어져야 하는가? 당신의 눈빛은 나에게 당신의 어떤 전생을 말해 주는가? 당신의 전생은 공주였는가, 아니면 나의 누이였는 가?

이 무한한 공간대와 무한한 시간대 속에서 지금 이 생에서 내가 당신을 만날 수 있었다는 것은 얼마나 신비로운 일인가? 은하계 이쪽 끝과 저쪽 끝에서 견우와 직녀가 다가와 서로 만나듯이 우리 는 헤아릴 수 없이 많은 별들의 세계를 여행하여 이 지구별에서 만 났다.

이 별에 와서 나를 가장 가슴 두근거리게 하고 잠 못 이루게 했 던 것이 사랑이었으니, 그리하여 나는 왜 옛날 사람들이 이 별을 '정성(情星)', 즉 '사랑의 별'이라고 불렀는지 알게 되었다.

그래서 이 별에 사는 사람들의 가장 큰 관심사는 사랑이다. 사랑 에 눈멀어 본 적이 없는 사람이 삶에 대해 말할 수 없듯이, 또한 그 고통을 아파해 보지 않은 사람은 인생의 깊이를 알지 못한다.

부처도 가장 큰 고통을 '애별린(愛別隣)'이라고 했다. 사랑하는 사람과 헤어지는 것은 그만큼 큰 고통인 것이다. 부처 역시 그와 같은 고통을 겪어야만 했다. 그래서 그는 그 고통이 너무나 컸던 나머지 그를 따르는 제자들에게 사랑은 시작조차 하지 말라고 당부했다.

한번 사랑에 빠지면 이 '정성 지구별'에 사는 우리에게는 너무나 큰 고통을 안겨 준다.

그 사랑은 너무나 힘이 있어 우리는 이 별을 벗어나기가 너무나 힘들다. 가치없고 하찮은 것은 버리기가 쉽다. 그러나 우리 존재의 가장 깊은 곳과 이어진 것은 헤어나기가 힘든 것이다. 따라서 이 세상을 벗어나는 데 역점을 둔 불교는 그토록 사랑에 반대하는 것이다.

나에게 사랑한 여자가 있었다. 그러나 사랑의 기쁨이 익기도 전에 이별의 날이 찾아왔으니……

12세기 아라비아 지방에 마즈눈이라는 이름의 남자가 있었다. 어느날 그는 아름다운 여성 라일라를 만나 첫눈에 서로 사랑을 했다. 그러나 라일라의 아버지는 그녀를 다른 남자에게 시집보냈다. 연인을 잃은 슬픔에 마즈눈은 평생을 반나체로 살면서 그녀에게 바치는 시들을 썼다.

유목민이었던 라일라의 부모는 마즈눈이 자기들 천막 가까이 오는 것을 금했다. 하루는 마즈눈이 광야의 목동에게서 양가죽을 하나 얻어서 입고는 목동에게 부탁했다.

"신의 이름으로 부탁하건대 양들을 몰고서 저기 라일라의 천막 쪽으로 가주시오. 그러면 나도 양처럼 하고서 양들 틈에 끼어서 그곳으로 가겠소. 그녀의 향기를 맡는 것만으로도 나는 행복하며, 또 양가죽을 쓰고서 걸어가다 보면 무슨 묘책이 생기지 않겠소?"

그래서 목동은 양들을 몰고 라일라의 천막 가까이 다가갔다. 그러나 라일라의 얼굴을 본 순간 마즈눈은 너무 흥분해 기절을 하고 말았다.

목동은 기절한 마즈눈을 데리고 다시 광야로 나와서 얼굴에 물을 뿌려 주었다. 마즈눈의 친구들이 달려와서 말했다.

"자네처럼 고귀한 사람이 왜 이렇게 반나체로 양가죽이나 쓰고서 살고 있는가? 원한다면 우리가 옷을 갖다 주겠네."

그러자 마즈눈은 말했다.

"라일라만한 옷은 없다. 그러니 내게는 맨몸이나 양가죽보다 나은 것은 없다. 마즈눈은 기꺼이 비단 옷이나 금빛 찬란한 옷들을 입겠지만 라일라를 볼 수 있게 해주는 양가죽을 더 좋아한다."

새들의 회의

　수피(회교 신비주의)의 시인 파리드 우딘 아타르는 온 세계의 새들이 모여 눈 쌓인 계곡에 사는 불멸의 왕 '시머그'를 찾아나서는 여행에 대해 들려주고 있다. 그러나 여행을 떠나기 전에 첫번째 새가 앞으로 나와서 자신은 이 여행에 동참할 수 없음을 고백한다. 장미와 사랑에 빠졌기 때문이라는 것이다. 사랑하는 님을 두고서는 진리의 험난한 여행에 나설 수도 없으며 사랑 이외의 모든 것은 현재의 자신에게 무의미하다고 그 새는 고백한다.

　"나는 사랑의 신비를 알고 있습니다. 나는 밤새 사랑의 노래를 계속합니다. 내가 그리움에 가득 차 사랑의 시편을 노래해 줄 불행한 사람은 없습니까?
　사랑하는 장미를 떠나서는 나는 살 수 없습니다. 나는 장미와 사

랑에 빠졌습니다. 그 사랑을 떠나면 나는 노래하기를 그치고 나의
비밀을 간직한 채 침묵을 지킬 것입니다.

모두가 다 나의 비밀을 알고 있는 것은 아닙니다. 장미만이 그것
들을 확실히 알고 있습니다.

나는 이 순간 너무나도 장미를 사랑하기 때문에 나 자신의 존재
는 생각할 수도 없고, 단지 장미와 그 꽃잎들만을 생각할 뿐입니
다.

시머그를 찾아가는 여행은 내 능력을 넘어서는 일입니다. 나이
팅게일에게는 장미에 대한 사랑이면 충분합니다. 수많은 꽃잎들을
가진 꽃들이 있습니다.

내가 더 이상 무엇을 바라겠습니까?

저 피어나는 장미꽃은 열정에 가득 차 있으며 내게 미소짓고 있
습니다. 그녀가 베일 아래로 얼굴을 드러낼 때면 나는 그것이 나를
위한 것임을 압니다.

어떻게 나이팅게일이 이 매혹적인 장미의 사랑 없이 단 하룻밤
이라도 지낼 수 있겠습니까?"

그러자 시머그를 찾아가는 여행을 이끄는 추장새가 그 새에게
속세의 사랑의 허무함을 일깨우면서 과감히 진리 추구의 길에 나
설 것을 권한다.

"사물의 겉모습에 홀려 뒷전에 남으려는 나이팅게일이여! 헛된
집착 속에서 기뻐하지 마십시오. 장미에 대한 사랑에는 많은 가시
가 있습니다. 그것은 당신의 영적인 길을 방해하고 괴롭힙니다. 장

미는 비록 아름답지만 그 아름다움은 쉽게 사라져 버립니다.

자기 완성을 추구하는 사람은 그런 무상(無常)한 사랑의 노예가 되어서는 안 됩니다. 장미의 미소가 당신의 욕망을 불러일으킨다면 그것은 결국 당신의 낮과 밤들을 한탄으로 채우게 될 것입니다. 장미를 버리고 당신 자신을 부끄럽게 생각하십시오. 그녀는 매년 봄이면 당신을 비웃고는 사라져 버리기 때문입니다."

그러면서 추장새는 다음과 같은 우화를 새들에게 들려준다.

한 왕에게 달님처럼 아름다운 딸이 하나 있었습니다.

그녀는 모든 사람들로부터 사랑을 받았습니다. 그녀의 졸린 듯한 눈매와 아름다운 자태가 갖는 달콤한 매혹은 사람들의 마음을 애태웠습니다.

그녀의 얼굴은 목련처럼 희고, 머리는 검게 윤이 났습니다. 수줍음과 달콤함이 녹아 있는 그녀의 질투어린 입술은 보석처럼 맑고 아름다운 물도 다 말려 버릴 듯했습니다.

운명의 장난인지 하루는 한 수도승이 그녀를 보게 되었습니다. 공주를 본 순간 그는 손에 들고 있던 빵을 떨어뜨렸습니다. 그녀는 불꽃처럼 그를 스쳐갔습니다.

스쳐 지나가면서 그녀는 수도승을 향해 미소를 띠웠습니다. 순간 그 수도승은 넋이 빠져 버리고 말았습니다.

그 일이 있고 난 다음부터 불쌍한 수도승은 밤이나 낮이나 휴식을 찾을 수 없었으며 끊임없이 흐느낄 뿐이었습니다.

그녀의 미소가 떠오를 때면 마치 구름이 비를 뿌리듯이 하염없는 눈물을 흘리는 것이었습니다.

이 광적인 사랑은 칠 년이나 계속되었습니다. 그 동안 그는 거리에서 개들과 함께 살았습니다. 마침내 공주의 수행원들은 그를 죽여 없애기로 결심했습니다.

그러나 공주는 비밀리에 그에게 전갈을 보냈습니다.

"어떻게 당신과 나 사이에 사랑이 가능하겠습니까? 떠나 버리십시오. 아니면 당신은 죽습니다. 더 이상 내 집 문앞에서 어물거리지 말고 일어나 떠나십시오."

불쌍한 수도승은 대답했습니다.

"처음 당신을 사랑하게 되던 날, 나는 내 목숨을 버렸습니다. 목숨이 수천 개 있다 하더라도 아름다운 당신을 위해 바칠 것입니다. 부당하게도 당신의 부하들이 날 죽이려 합니다. 그러니 이 사실 하나만 대답해 주십시오. 당신이 내 죽음의 원인이 되던 바로 그날, 당신은 왜 내게 미소지었습니까?"

그녀가 답했습니다.

"오, 어리석은 사람! 나는 당신이 자신을 버리려는 것을 보고 불쌍해서 웃었던 것입니다. 나는 동정심으로 웃었을 뿐이지 사랑을 느껴서 미소를 지은 것이 아닙니다."

이 말을 남기고 그녀는 불쌍한 수도승을 뒤에 남겨둔 채 연기처럼 사라졌습니다.

그렇다고 해서 사랑이 두려워 피해 다닌다면 우리의 삶은 과연 무엇을 위한 것인가?

우리는 한때 두 개의 물방울로 만났었다

사랑이 나에게 다가왔을 때 나는 갑자기 존재의 탈바꿈을 경험했다. 무가치하던 존재가 빛을 발하기 시작했다. 잠자고 있던 어떤 향기가 내 안에서 피어나는 것 같았다.

삶은 나에게 가르쳐 주었다. 사랑이 다가올 때 물러서거나 피하지 말라고. 그 사랑의 고통은 심장이 타 버리는 것 같지만 그것은 하나의 연금술처럼 순수한 영혼을 탄생시킨다고. 그때 너는 인생의 의미를 비로소 느낄 수 있을 것이라고. 참다운 삶이 무엇이라는 것도 어떻게 살아야 함도 이 사랑을 통해 알 수 있게 되는 것이다.

삶은 도피가 아니다. 사랑 역시 그러하다. 우리가 이 별에 우연히 태어나지 않았듯이 사랑 역시 우연히 찾아오는 것이 아니다. 사랑하는 사람과 함께 이 삶의 모험을 헤쳐나갈 때 아름다운 것은 비로소 그 아름다움을 발할 것이며 고귀한 것은 비로소 고귀함의 가치를 빛낸다. 그 가치는 나눔을 통해서만이 우리에게 빛을 발하는 것이기 때문이다.

그리하여 그 사랑은 그냥 서 있어선 안 된다. 사랑은 그냥 머물러 있을 수 없다. 그것은 줄어들든지 아니면 늘어날 수밖에 없다.

이 별의 사랑은 그 점에서 독특하다. 이 지구별에서는 사랑을 키워 나가야 한다. 그것이 우리 존재를 아름답게 만들고, 그러면 하나의 대상에 한정된 것을 벗어나서 존재 전체가 사랑으로 바뀌는 순간이 찾아온다.

그래서 부처는 사랑에 반대했지만 오히려 자비를 강조한 것이다. 대상 없는 사랑, 즉 아집을 벗어난 사랑을 역설한 것이다.

사랑에는 묘한 속성이 있다. 그것은 마치 불사조가 자신을 불로 태워서 죽어 버리고 그 재에서 다시 소생하듯이 사랑은 죽음을 거칠수록 더욱 큰 사랑으로 연결되는 것이다. 사랑의 시작을 두려워하지 않듯이 사랑의 죽음 또한 두려워하지 말라고 삶은 나에게 가르쳤다.

사랑의 죽음은 무엇인가? 그것을 우리는 이별이라고 부른다. 사랑의 아픔만큼이나 이별의 아픔은 큰 것이다. 그러나 그 아픔 속에서, 마치 잿더미 속에서 다시 태어나는 불사조처럼 더 큰 사랑으로 생명력을 갖고 우리에게 다가온다.

사랑이 있는 이 별에는 역시 이별이 있다. 사랑의 순간을 예감하지 못했듯이 우리는 이별의 순간 또한 예감하지 못했다.

때로 우리는 서로 가까이 있음을 견디지 못했으며, 때로는 서로 멀어져감을 두려워했다. 칼릴 지브란이 말했듯이, "저 사원의 기둥들이 한 지붕을 받치고 서 있으나 서로 떨어져 있듯이, 함께 있으나 거리를 두라"를 우리는 감히 실천하기 어려웠다.

　내가 사랑한 여자, 지금 그녀는 어디에 있는가? 나는 이 삶에서 만난 그녀를 못내 그리워한다. 그 만남으로 인해 내 정신은 깊어지고 삶에 대해, 삶의 모든 것들에 대해 비로소 나는 깊이를 갖게 되었다.

　누구나 잘난 체하여 마지 않는 이 세상에서 홀로 정신적인 깊이를 가졌던 여자, 내면에 왕비와 같은 고귀함을 지녔으며 백조와 같은 순결함을 가졌던 여자, 그 고귀함과 순결함이 성숙하지 못한 정신을 가졌던 나로 인해 얼마나 많이 상처입었던가? 사랑이라는 이름 아래 수많은 정신적 폭력이 행해지는 이 별에서 나 또한 얼마나 어리석었던가?

　그것을 후회하나 우리는 별들이 스쳐 지나가듯 그렇게 멀어져갔다.

　별들은 우리에게 사랑의 순간을 마련해 놓았듯이 이별의 순간 또한 잊지 않았다.

　　우리는 한때
　　두 개의 물방울로 만났었다
　　물방울로 만나 물방울의 말을 주고받는
　　우리의 노래가 세상의 강을 더욱 깊어지게 하고
　　세상의 여행에 지치면 쉽게
　　한 몸으로 합쳐질 수 있었다
　　사막을 만나거든
　　함께 구름이 되어 사막을 건널 수 있었다

그리고 한때 우리는
강가에 어깨를 기대고 서 있던 느티나무였다
함께 저녁강에 발을 담근 채
강 아래쪽에서 깊어져 가는 물소리에 귀 기울이며
우리가 오랜 시간 하나였음을 확인할 수 있었다
바람이 불어도 함께 기울고 함께 일어섰다
번개도 우리를 갈라놓지 못했다

우리는 그렇게 영원히 느티나무일 수 없었다
별들이 약속했듯이
우리는 몸을 바꿔 늑대로 태어나
늑대 부부가 되었다
아무도 가르쳐 주지 않았지만
늑대의 춤을 추었고
달빛에 드리워진 우리 그림자는 하나였다
사냥꾼의 총에 당신이 죽으면
나는 생각만으로도 늑대의 몸을 버릴 수 있었다

별들이 약속했듯이
이제 우리가 다시 몸을 바꿔 사람으로 태어나
약속했던 대로 사랑을 하고
전생의 내가 당신이었으며
당신의 전생은 또 나였음을
별들이 우리에게 확인시켜 주었다

그러나 당신은 왜 나를 버렸는가
어떤 번개가 당신의 눈을 멀게 했는가

이제 우리는 다시 물방울로 만날 수 없다
물가의 느티나무일 수 없고
늑대의 춤을 출 수 없다
별들의 약속을 당신이 저버렸기에
그리하여 별들이 당신의 약속을 저버렸기에
──〈우리는 한때 두 개의 물방울로 만났었다〉

소울메이트

알베르 까뮈는 이렇게 탄식했다.

"누가 우리의 삶을 증언해 줄 것인가? 예술인가, 혁명인가? 아니다. 오직 사랑만이…… 그러나 사랑은 침묵이다. 우리는 모두 남모르게 죽어간다."

오월에 한 여자를 만나 나는 사랑을 했고 또 헤어졌다. 그러나 나는 우리가 영원한 '소울메이트'였음을 안다. 소울메이트란 말 그대로 '영혼의 동반자'란 뜻이다. 서로의 성숙한 삶을 위해서 별세계를 함께 모험하는 친구 여행자였다. 한때는 번개 다음에 쏟아져 내리던 빗방울들이었고, 한때는 숲속의 짐승들이었으며, 이제는 인간의 숙명을 받아들여야 하는 존재가 된 것이다.

그리하여 우리 언젠가는 다시 태어나지 않으리라. 인간으로도 축생으로도 다시는 몸을 받지 않으리라. 그러면 다시는 헤어짐도 이별의 슬픔도 없을 것이다. 영원히 하나로 남을 것이다.

별들을 떠돌아다니는 여행중에 우리는 많은 사랑을 나누지만 그것이 꼭 이성간의 사랑만으로 만나는 것은 아니다. 때로 우리는 스승과 제자의 몸으로 만나 서로를 이끌어 주기도 한다.

13세기 회교 신비가로 '루미'라는 이름의 시인이 있었다. 그의 집안은 대대로 학자와 신학자, 법률학자의 집안이었다. 루미도 부친의 뒤를 이어 왕실의 후원 아래 전통적인 종교 교사의 길을 걸었다. 학자로서의 그의 명성은 날로 높아갔으며 그를 따르는 제자들도 많아졌다.

그러던 어느날 그는 운명처럼 떠돌이 늙은 수도승 타브리즈의 샴스를 만나면서 완전히 다른 삶의 길로 접어들었다. 이때까지만 해도 루미는 전통에 입각한 한 평범한 종교학자요, 절제를 중요시하는 금욕주의자였다. 그리고 그는 네 개의 대학에서 과학을 가르쳤다.

검은 모자의 샴스를 처음 보았을 때를 루미는 이렇게 묘사한다.

"주위에 많은 사람들이 있었으나 오직 그만이 내 눈길을 사로잡았다. 거기 불꽃처럼 타오르는 한 사람이 서 있었다. 그가 내게 다가왔을 때 나는 두 눈이 멀어 버렸다."

샴스는 루미에게 다가와 말했다.

"나는 이 세상의 돈을 다른 세상의 돈으로 바꾸는 자이다."

루미를 만난 샴스는 루미의 책들을 모두 우물 속에 집어던졌다. 그리고는 루미에게 말했다.

"그대는 이제부터 책을 읽지 말라."

루미는 그후 책을 읽지 않았다.

또 샴스는 말했다.

"이제부터 그대가 아는 지식을 절대로 남에게 말하지 말라."

그후 루미는 침묵을 지켰다. 샴스는 루미가 지금까지 책에서 읽어온 것들을 실제로 삶 속에서 체험하고 실천해야 한다는 진리를 가르쳤던 것이다.

두 사람은 만나자마자 일 주일이 넘도록 방문을 걸어 잠그고 깊은 대화를 나누었다. 그 결과 두 영혼은 하나로 결합되었다.

루미는 이렇게 시에서 표현했다.

"전에 내가 신으로 생각했던 그 존재를 오늘 나는 한 사람 속에서 만났다."

그러나 많은 이들이 루미와 샴스의 우정을 질투하였다. 그들은 둘 사이를 갈라 놓기 위해서 샴스를 멀리 다른 지방으로 떠나게 했다. 그러나 샴스가 다시 루미를 만나기 위해 돌아오자 사람들은 마침내 샴스를 죽이기까지 했다.

샴스가 죽었을 때 루미는 그 장례식에 가지 않았다. 다만 그는 홀로 정원으로 걸어가 이렇게 읊었다.

"운명의 펜은 절대로 철자법이 틀리는 법이 없도다!"

샴스를 만나기 전에는 루미는 시인이 아니었다. 샴스와의 만남을 통해서 루미는 시인이 될 수 있었다. 그의 시들은 샴스와의 만남을 찬양하는 내용과 '벗'이 돌아오기를 슬픔과 갈망 속에 기다리는 내용들로 가득 차 있다. 또한 자신의 작은 자아를 버리고 보다 큰 우주적 자아에게로 녹아드는 존재의 황홀감이 그의 시를 장식한다.

루미의 시는 회교 신비주의에 지대한 영향을 미쳤다. 그는 말했다.

"신으로 가는 데에는 많은 길이 있다. 그 중에서 나는 춤과 음악의 길을 택했다. 그 춤과 음악은 나의 스승 샴스에게 바치는 것이다."

또 어떤 이는 루미를 두고 이렇게 말했다.

"그는 음악과 춤을 멈춘 적이 없다. 낮에도 밤에도 그는 노래를 부르고 춤을 추었다. 그는 학자였으나 어느날 시인이 되었다. 그는 금욕주의자였으나 어느날 갑자기 사랑에 취해 버렸다. 그가 취한 것은 술이 아니다. 그 눈부신 영혼은 사랑의 술 이외에는 마시지 않는다."

> 여기 이 궁전에 앉아 있는 시간
> 행복하여라
> 두 모습, 두 얼굴
> 그러나 하나의 영혼으로
> 그대와 나
> 우리가 오래된 정원으로 걸어 들어가는 순간
> 숲의 광채와 새들의 지저귐이
> 불멸의 생명을 약속한다
> ── 잘랄루딘 루미 〈그대와 나〉

사랑이 왔다
그것은 나를 죽였으며, 그 대신 사랑하는 이로 내 존재를

채웠다

　내게는 단지 이름만이 남아 있을 뿐

　다른 모든 것은 그의 것이었다

　그대의 마음 속에 있는 모든 얼굴을 버려라

　그래서 그대의 마음을 온전히 그의 얼굴로 채워라

　내 가슴이여, 어디에 있는가? 나는 그것을 그의 곁에서 발
견한다

　내 영혼이여, 어디로 갔는가? 나는 그것을 그의 머리카락
속에서 발견한다

　목이 말라 물을 마실 때

　나는 물 속에 비친 그의 모습을 본다

　——잘랄루딘 루미 〈사랑이 왔다〉

　나는 한숨짓는다. 아무리 육체의 덧없음을 주장한다 해도 내 눈
이 지켜보던 그 눈을 나는 잊지 못한다. 성경의 〈아가서〉에서 "나
의 누이, 나의 신부여! 그대는 잠근 동산이오, 덮은 우물이오, 봉
한 샘이로다"라고 누군가 읊었듯이 사랑의 아름다움은 순결한 영
혼에 있다.

　아씨시의 성 프란치스코와 성녀 글라라는 서로 사랑을 했다. 그
러나 수도원 사람들은 그들의 사랑을 이해하지 못했다. 프란치스
코는 글라라를 멀리 보내기로 결심했다. 수도원 밖은 차가운 겨울
바람이 불고 있었다. 글라라를 배웅나간 프란치스코는 말없이 눈
에 덮여가는 길을 바라보았다.

마침내 글라라는 작별인사를 하고 눈길로 돌아섰다. 짧은 작별의 말 외에 그들이 무슨 말을 할 수 있었겠는가. 그러다 갑자기 글라라가 돌아서서 프란치스코에게 물었다.

"언제, 우리는 다시 만날 수 있을까요?"

프란치스코는 아무런 말없이 눈이 쌓인 산꼭대기를 바라보았다. 그리고는 말했다.

"아마 저 산에 눈이 녹고 꽃이 필 때쯤이면."

그 말이 끝나자 갑자기 눈이 녹고 산마다 꽃이 피었다.

제4부
너는 어디로 가고 있는가

정거장

삶에 대해 이야기하면서 어찌 종교에 대해 말하지 않을 수 있으랴. 철이 들면서부터 내가 가장 관심이 많았던 것은 종교였다. 종교를 통해 삶의 구원이 과연 가능한지, 종교에서 말하는 우주와 인생의 설명들이 사실인지 알고 싶었다.

하지만 인생을 살아오면서 나는 언제부터인가 이 땅의 종교는 그것이 종착역이 아니라 거쳐가야 할 하나의 정거장이란 생각이 어렴풋이 들게 되었다. 종교가 궁극이 아니라 삶의 성숙이 궁극인 것이며 이 별에서의 종교는 지나가야 할 하나의 통과의례라는 생각이었다.

그리하여 내게는 어떤 종교의 도그마도 점차 그 힘을 잃어가게 되었고 이제 내게 중요한 것이 있다면 이러한 생각들을 지닌 나의 귀중한 친구들과 참된 우정을 나누는 것, 그리고 그 속에서 진리를 하나씩 알아 나가는 것이었다.

처음에 종교는 나에게 꿈을 주었다. 그리고 그 꿈은 삶을 살아가는 동안 힘들고 지칠 때마다 나에게 새로운 힘이 되어 주곤 했다. 어떤 사람이 종교에서 말하는 사실들이 정말 사실인지 아닌지를 과학적으로 증명하고자 한다면 그는 어리석은 일을 하고 있는 것이리라. 그것은 마치 꿈의 세계를 과학으로 증명하고자 하는 것과 같은 것이다. 또한 꽃의 아름다움을 증명하는 것이며, 진실과 거짓을 가리는 입장에서 시를 판단하는 일이라 하겠다.

한편 불교에서는 이 우주를 욕계, 색계, 무색계의 세 가지 차원으로 나누어 이해한다. 우리의 눈에 보이는 물질세계가 욕계에 해당된다면 색계란 각자의 꿈에 나타나는 빛과 생각으로 이루어진 세계라는 것이다. 그리고 무색계란 모든 사람의 이념 속에 있는 절대정신의 세계, 곧 이데아의 세계라 볼 수 있다.

과학이 물질 세계의 법칙을 탐구하는 것이라면 종교는 정신의 세계를 찾고 그 법칙을 이해하는 것이리라. 그렇다면 종교의 기원은 무엇일까?

먼 옛날 지금과 같은 종교의 형식이 자리잡히지 않았을 때 이 별에 처음 온 우리의 조상들은 꿈들을 간직하고 있었다. 그 꿈들은 지금 우리들이 신화와 전설이라고 부르는 것들이다. 그 신화와 전설은 지금 우리의 종교가 태어나는 모태가 되었다.

만약 인간에게 꿈이 없었다면 어떻게 되었을까? 단지 본능에 의해서만 살아간다면 짐승과 다를 바가 없을 것이며, 단지 고도로 발달한 기계 속에 둘러싸여 살아간다면 컴퓨터와 다름없을 것이다. 인간을 인간답게 만들어 주는 것이 바로 꿈이며 그 꿈의 공통성과 신비함에서 종교는 탄생된 것이다.

과학을 탐구하는 길이 실험과 검증을 통한 것이라면 종교에 가까이 다가가는 길은 명상과 신에의 헌신을 통한 길이리라. 그리고 진정한 헌신은 명상의 연장인 것이다.

그러나 생존경쟁에 지친 삶 속에서 우리는 명상을 할 마음의 여유가 없다. 우리가 명상 없는 삶을 살아간다면 그것은 우리 안에 있는 귀중한 한 부분을 잃어 버리고 살아가는 것이 아닐까?

한 선사가 정치인을 만나 명상을 권유하자 정치인은 너무나 바빠서 명상할 시간이 없노라고 대답했다.

선사가 말했다.

"당신은 마치 두 손으로 눈을 가리고 밀림 속을 걷고 있으면서 너무 바빠서 두 손을 눈에서 뗄 수 없다고 말하는 사람과 같군요."

정치인이 떠나자 선사는 제자들에게 말했다.

"시간이 없어서 명상할 수 없다는 것은 변명이다. 명상하지 못하는 진짜 이유는 마음이 가만히 앉아 있지 못하기 때문이다."

명상을 잃어 버린 종교는 맹신에 빠진다. 애시당초 종교는 명상을 통해 생겨난 것인데 명상을 하지 않고 종교를 접한다는 것은 근본을 잊어 버리고 가지를 붙드는 것이리라. 우리는 역사 속에서 종교전쟁 등 많은 부끄러운 예를 찾아볼 수 있다. 그것은 모두 명상하는 마음의 부족에서 온 것이다. 종교와 명상, 우리는 이것을 떼어놓고 따로 생각할 수 없다. 명상을 잃어 버린 종교는 맹목적이 되며 종교 없는 명상 또한 무목적적인 것이 되리라.

한번은 나라 전체에 대대적으로 종교 탄압이 일었다. 그러자 종교의 세 가지 핵심인 경전, 예배, 자선이 신 앞에 나타나서 이러다

간 종교가 완전히 사라지겠다고 두려움을 표시했다.

그러자 신이 그들에게 말했다.

"걱정할 것 없다. 나는 그대들 모두보다 훨씬 위대한 것을 지상에 심었다."

"그 위대한 것이란 무엇입니까?"

신이 대답했다.

"그것은 곧 '자기를 아는 일'이다. 그가 그대들이 한 것보다 훨씬 더 많은 일을 할 것이다."

명상을 통해서 우리는 종교에서 말하는 진정한 '나'를 찾아갈 수 있다. 인간은 단지 육체 외에 아무것도 아니라는 생각이나, 인간을 단지 사회의 한 구성원으로서만 봄으로써 마음의 병인 소외감이 일어난다.

만물은 같은 뿌리를 갖고 있으며 이 우주 가운데 있는 인간은 따로 떨어진 외로운 섬이 아니라는 사실을 명상을 통해 체험함으로써 자기소외감으로부터 진정으로 벗어날 수 있는 것이리라.

생각해 보건대 '종교(religion)'라는 말의 어원 자체가 '조각나고 흩어진 것들을 하나로 모으는 일'이라고 하지 않는가?

내 안에 있는 것들

힌두교의 전설에는 이런 이야기가 있다.

한때는 인간도 신적인 능력을 갖고 있었다고 한다. 그런데 인간이 그들이 가진 그 신적 능력을 남용했기 때문에 신들이 모여서 회의를 열었다. 신들은 회의의 결론으로 인간의 신적 능력을 빼앗아서 감추기로 했다.

그런데 그것을 어디다 감추느냐가 문제였다. 그것을 깊은 바다 속에 감추자는 의견이 나오자 신들의 왕인 범천왕이 말했다.

"인간들은 결국 아무리 깊고 깊은 바다 속이라고 할지라도 그 속으로 뛰어드는 방법을 배워서 바다 밑을 샅샅이 뒤져 끝내 그것을 찾아낼 것이다."

이번에는 지구의 저 밑바닥에 깊숙이 숨겨 두자는 의견이 나왔으나 범천왕은 또 반대했다. 인간들은 지구의 밑바닥쯤은 문제없이 파고들어가 마침내 그것을 도로 찾아내고야 만다는 것이었다.

그러자 한 신이 가장 높은 산꼭대기에 숨기면 아무런 문제도 없을 것이라고 하자 범천왕은 여전히 고개를 저었다. 인간들은 지구의 높은 산이란 산은 모조리 다 기어 올라갈 것이며, 결국 그것을 찾아낸다는 것이었다.

결국 회의에 모인 신들은 마침내 지구든 바다든 그 어디에도 인간의 손길이 닿지 않을 만한 곳이 없다는 결론을 내리게 되었으며, 따라서 인간의 신성을 숨길 장소가 없다는 사실을 절감했다.

그때 범천왕이 말했다.

"인간의 신성을 숨기려면 오직 한 가지 방법밖에 없소. 그것은 바로 인간 자신 안의 가장 깊숙한 어느 곳에 숨기는 것이오. 설마 거기까지는 그들의 생각이 미치지 않을 것이기 때문이오."

그때 이후부터 인간들은 그 잃어 버린 무엇인가를 찾아서 산을 오르고 땅을 파 뒤지고 바다 속을 뛰어들기도 하면서 온 지구를 샅샅이 헤매며 끝없는 탐험과 탐색을 거듭하고 있다는 것이다. 그렇게 찾아 헤매는 그 무엇이 바로 자기 안에 있다는 사실을 꿈에도 모른 채 말이다.

사실 지금까지의 종교는 그 도그마 때문에 자유로운 명상이 쉽지 않았다. 나의 종교만이 위대하고 다른 사람의 종교는 거짓에 지나지 않는다고 믿었던 엉뚱한 확신 때문에 명상을 통한 자기 성찰을 소홀히 여기게 되었다. 그리하여 타인을 이해하는 폭이 점점 좁아지고 불신의 벽이 쌓여지게 되어 결국에는 싸움과 원한을 남기게 되었다.

자신만이 진리를 알고 있다는 생각, 자신만이 신을 잘 섬기고 있다는 확신은 열린 마음에서 우러나오는 자기 성찰을 가벼이 여긴 결과다.

인도 성자 나라다는 한때 신에 대한 헌신이 깊었기 때문에 세상에서 자신만큼 신을 사랑하는 자가 없다고 믿었다.

그래서 신은 그에게 나타나서 그를 한 마을로 보냈다. 그곳에서 나라다는 한 농부를 보았는데, 농부는 아침 일찍 일어나 습관적으로 신의 이름을 한 번 외우고는 쟁기를 들고 밭으로 나가서 하루종일 일만 하는 것이었다. 그리고는 돌아와 잠들기 직전에 다시 건성으로 신의 이름을 외웠다.

나라다는 생각했다.

"어떻게 이런 자를 신에 헌신하는 자라고 할 수 있는가? 그는 하루종일 세속의 일에만 몰두하여 신에 대해선 잊고 산다."

그때 신이 나라다에게 나타나서 말했다.

"나라다여, 너는 내일 아침 우유가 가득 든 그릇을 들고 마을을 한 바퀴 돌아오라. 절대로 우유를 흘려선 안 된다."

다음날 나라다는 시키는 대로 우유 그릇을 들고 마을을 한 바퀴 돌았다.

신이 그에게 물었다.

"나라다여, 너는 마을을 돌아오는 동안에 몇 번이나 나를 생각했느냐?"

나라다가 말했다.

"한 번도 할 수 없었습니다. 우유를 엎지르지 않도록 온 정신을 쏟아야 하는데 어떻게 신을 생각할 수 있겠습니까?"

168

신이 나라다에게 말했다.

"너는 우유 그릇에 몰두하느라 나의 존재에 대해선 까마득히 잊었다. 그러나 저 농부는 가족을 돌보느라 힘든 일을 하면서도 하루에 두 번씩은 나를 생각하지 않느냐?"

이 세상에 존재하는 모든 생명들은 신과 따로 떨어져 있는 것이 하나도 없다. 모든 생명들이 진리 속에서 즐거워하고 있다. 유독 즐거워하지 못하는 것이 있다면 그것은 인간의 마음이다. 그래서 인간은 종교가 필요한지도 모른다.

식물이나 동물이나 모든 생명체들이 현재 속에서 즐거워하고 있으며 엑스타시, 곧 존재의 환희 속에 있다. 그들에게는 과거나 미래가 없기 때문이다.

그러나 인간의 생각 속에는 과거와 미래가 있다. 생각에 매달려 있는 이상 과거나 미래에서 빠져 나오지 못한다. 종교는 지금 여기에, 현재 속으로 인간의 마음을 들어오게 하려는 것이 본래의 목적이었다. 그러나 현재로 들어오는 무심의 상태에 들어오지 못하고 사념 속에서 헤매는 나머지, 종교조차 엉뚱한 것으로 만들어 버리고 말았다.

한 사람이 오랜 노력과 연구 끝에 불을 발명했다. 그는 북쪽의 추운 지방으로 가서 한 부족에게 불 만드는 기술을 가르쳐 주었다. 그 부족 사람들은 불을 실제 생활에 이용하기보다는 그것을 신성한 것이라 하여 신전에 모셔 두고 매일 기도와 제사를 드렸다. 그리고 집집마다 그 불의 그림을 액자에 넣어 모셔 두었다.

산을 넘어 다른 부족에게로 간 발명가는 그들에게도 불 만드는 기술을 가르쳐 주었다. 그들은 불을 보자 위험한 것이라 하여 그 발명가를 죽이려고 덤벼들었다.

간신히 옆 마을로 간 그는 역시 그곳에서도 불 만드는 기술을 전수했다. 이 마을에는 성직자들이 있었는데 그들은 불에 대한 기술을 자신들만 독점하여 마을 사람들 위에 군림하기 시작했다. 그리고 불에 대한 것은 특별히 선택받은 자신들만 신으로부터 메시지를 받는다고 선전했다. 그러면서 그들은 그 위대한 발명가가 신의 독생자이며 그들을 구원하기 위해서 왔노라고 전기를 써서 책을 만들었다. 마을 사람들 역시 불은 전혀 구경하지 못한 채 그 발명가의 이름으로 열심히 기도드리기 시작했다.

그렇게 여러 부족을 돌아다니면서 불을 전파했지만 한 마을도 불을 실생활에 쓰려고 하지 않았다. 사람들은 모두 불에 대한 것을 종교로 만들어 그것에 집착했으며, 결국 불을 만드는 실제 기술에 대해선 완전히 잊었다.

달과 손가락

동양에는 선불교에서 전통적으로 내려오는 아름다운 비유가 하나 있다. 그것은 곧 달을 보아야지 달을 가리키는 손가락을 보아서는 안 된다는 것이었다. 다시 말하자면 언어나 문자에 집착해 그것이 가리키는 진리는 정녕 보지 못함을 비유한 말이다.

시인이었던 케르만의 아와디가 밤중에 집 앞에 구부리고 앉아 있을 때 루미의 스승이었던 타브리즈의 샴스가 지나가다가 물었다.

"여기서 무엇을 하고 있습니까?"

시인이 대답했다.

"물동이에 비친 달을 바라보며 명상하고 있습니다."

그러자 샴스가 말했다.

"당신의 목이 부러지지 않았다면 왜 하늘에 걸린 달을 직접 바라보지 않습니까?"

하지만 우리들은 기존관념이나 선입견으로 모든 사실을 해석해 버린다. 잘못된 교육을 통해서 그것들은 우리의 뇌리 속에 이미 박혀 버린 것이다. 야외에 나가서 풍경화를 그리는 국민학생들을 보면 하늘에 구름이 끼었든지 말았든지 무조건 하늘은 하늘색으로 칠한다. 땅의 색깔이 어떠했든지 무조건 황토색으로 땅을 그리는 것이다.

우리는 어릴 적부터 이미 융통성 없는 지식에 매여 있다. 사실 그러한 지식을 깨뜨리고 진리를 바로 볼 수 있도록 한 사람들이 바로 예수, 부처, 노자 같은 사람들인 것이다. 그들이 가는 곳에는 항상 정신의 혁명이 일어났다.

진리란 진리에 대한 지식과는 다른 것이다. 선입견은 죽은 것이다. 거기에는 더 이상 생명력이 없다. 우리를 감동시키고 우리 존재를 변화시키는 힘이 없는 것이다. 오직 거기에는 죽은 안정만이 남아 있다.

한 가톨릭 신부가 이렇게 한탄했다고 하지 않은가?

"예수가 가는 곳마다 혁명이 일어났으나, 내가 가는 곳마다 사람들은 차를 대접할 뿐이다."

처음 탄생된 종교는 신선하다. 그러나 시간이 흐르고 거기에 인간의 욕망들이 덧붙여져서는 점점 추한 것으로 변해간다. 모든 것이 손에 닿기만 하면 황금으로 변해 버리는 그리스 신화의 어느 왕처럼 인간의 욕망은 모든 것을 추하게 만들어 버리는 것이다. 그리고는 그 욕망을 베일에 감추기 위해서 교리와 도덕으로 덧칠을 해놓지만 거기에는 이미 아무런 생명력도 남아 있지 않다. 한번 욕망

172

의 굴레에 떨어져 버린 이상 진리에 대한 관심은 꺾여진 꽃처럼 시들어 버린다.

여러 세기 전에 죽은, 한 고대 철학자가 하늘에서 내려다보니 후계자들이 그의 사상을 잘못 해석하고 있었다. 자비심과 진리에 대한 사랑에 넘친 그 철학자는 많은 노력 끝에 겨우 신의 허락을 얻어 며칠 동안만 지상에 다시 내려올 수 있었다.

후계자들에게 자신의 존재를 확인시키는 데만 여러 날이 걸렸다.

일단 그의 존재를 알자 후계자들은 그가 설명해 주는 사상의 본질에 대해선 관심이 없고 오로지 그가 어떻게 다시 지상으로 내려올 수 있었는가에만 관심을 쏟았다.

우리가 갖고 있는 선입견은 항상 성스러움과 속됨을, 아름다움과 추함을 나눈다. 사실 그것은 인간의 머리 속에서 나온 생각일 뿐 삼라만상 그 어느 것도 그런 식으로 나눌 수 없는 것이다. 하지만 사람들은 스스로 나누어 놓고서는 그 분별심에 사로잡혀 스스로를 단죄한다. 스스로 괴로워하고 스스로 용서를 구하는 것이다.

그러나 인식의 완전함에 이르러 스스로의 생각에서부터 자유로운 사람이 있었다. 자신의 사념에 더 이상 흔들리지 않는 사람, 내면의 본성을 따라 자유롭게 사는 사람이 있었다. 나에게 있어서 종교는 그러한 사람으로 가까이 가는 길이었다.

동양에서는 그런 사람을 도인이라고 불렀고 서양에서는 성자라고 불렀다.

존재의 눈을 뜨고

도둑에게 배우다

한 수피 성자가 메카 성지로 순례를 떠났다. 성지 가까이 도착한 그는 피곤에 지쳐 길에서 쓰러져 잠들었다. 막 잠들려는 찰나에 한 사람이 와서 화난 음성으로 이 순례자를 깨웠다.

"지금은 모든 신자들이 메카를 향해 머리를 엎드릴 시간이오! 그런데 당신은 성스러운 곳을 향해 발을 뻗고 누워 있으니, 당신은 신앙인이 아니오?"

수피 성자는 여전히 누운 채로 그에게 말했다.

"형제여, 그럼 당신이 내 발을 성스럽지 않은 곳을 향해 돌려 놓아 주겠소?"

정신의 자유를 얻는 데는 많은 노력이 뒤따라야 한다. 나 대신

정신의 자유를 찾아 줄 사람은 아무도 없다. 그것은 오직 나 홀로 가야 할 길이며 나만이 갈 수 있는 길이다. 내면으로 떠나는 여행은 아무도 대신해 줄 수 없는 것이다.

이슬람교의 위대한 신비가 하산이 임종 직전에 있을 때 누군가 이렇게 물었다.

"하산, 당신의 스승은 누구였습니까?"

하산이 말했다.

"나에게는 수천수만의 스승들이 계셨습니다. 그들의 이름만 나열하는 데에도 몇 달 몇 년이 걸릴 것입니다. 그렇게 되면 나는 죽을 시간을 놓치고 맙니다. 하지만 이 한 명의 스승만큼은 분명히 말해 주고 싶습니다.

그 스승은 도둑이었습니다. 어느날 여행중에 사막에서 길을 잃은 나는 어떤 마을에 도착하게 되었습니다. 시간이 너무 늦었기 때문에 가게며 집들이 모두 문을 닫고 거리에는 사람 하나 찾아볼 수가 없었습니다. 그러다 마침내 나는 어떤 집의 담에 구멍을 뚫으려고 애를 쓰는 사람 하나를 발견하게 되었습니다. 내가 그에게 하룻밤 머물 곳을 묻자 그는 이렇게 말했습니다.

'이렇게 밤 늦은 시간에 어디서 머물 곳을 찾겠소? 당신이 나 같은 도둑과 함께 있는 것이 괜찮다면 내 집에서 하룻밤 묵어도 좋소.'

그 도둑은 너무나 아름다운 사람이었습니다. 나는 하룻밤이 아니라 한 달 동안을 그 도둑과 함께 지냈습니다. 매일 밤 그는 나에게 이렇게 말하곤 했습니다.

'자, 나는 물건을 훔치러 갑니다. 당신은 여기서 푹 쉬면서 나를

위해 기도해 주시오.'

그가 돌아오면 나는 이렇게 물었습니다.

'무엇이라도 훔쳤소?'

그는 말했습니다.

'오늘 밤은 실패했소. 하지만 신의 뜻이 그렇다면 내일 밤 나는 또다시 시도할 것이오.'

그는 단 한 번도 절망한 적이 없었으며 언제나 행복에 넘쳤습니다. 여러 해를 명상과 사색을 계속했음에도 불구하고 결국에 가서 아무것도 얻은 것이 없을 때면 나는 늘 깊은 절망에 빠져 이 모든 어리석은 짓을 포기하려고 마음먹곤 했었습니다. 그럴 때면 문득 매일 밤 이렇게 말하던 그 도둑이 생각났습니다.

'신의 뜻이 정 그렇다면 내일은 아마도 뭔가 소득이 있을 것이오!'

그 도둑 덕분에 나는 수행을 계속할 수 있었습니다."

우리가 살아가는 삶의 길목에서 깊은 통찰력만 갖고 있다면 우리는 도처에서 스승을 발견할 수 있다. 그것은 꼭 사람뿐만이 아니다. 모든 자연이 우리의 스승이 될 수 있는 것이다. 그것들은 존재의 본질에서 벗어나 있지 않기 때문이다.

그러한 통찰력을 가진 사람은 자신이 나아가야 할 길을 알아서 그저 묵묵히 자신의 길을 갈 뿐이다. 그는 굳이 사원이나 교회에 가서 스승을 구하지 않으며 경전을 들추어 보지 않는다. 삶이 곧 스승이며 그 삶 속에서 '살아 있는 눈'으로 진리를 발견하는 것이다.

중세 이태리의 화가 페루긴은 죽으면서 고해성사를 거부했다.

그것은 하나님에 대한 모독이라는 것이었다. 그의 아내가 그에게 신이 두렵지 않은가를 묻자 그는 이렇게 말했다.

"나는 직업이 화가였으며, 화가로서 최선을 다했소. 내가 알건 대 하나님은 용서하는 것이 직업일진대 내가 최선을 다했듯이 그 역시 그 일에 최선을 다하지 않겠소? 나는 두려워할 이유가 없소."

자신의 삶에 충실한 사람은 두려움이 없다. 종말을 이야기하고 종말론을 주장하는 것이 종교인 양 되어 버린 이 시대에, 진정한 종교는 두려움을 심어 주는 것이 아니라 삶의 아름다움을 깨닫게 하는 것이며, 나아가 소멸될 수밖에 없는 육체의 두려움을 떨쳐 버리게 하는 것이라고 말한다면 잘못된 일일까?

온 존재를 불꽃으로

사막 교부들의 생애에 관한 이야기에 다음의 일화가 있다.

롯 교부가 요셉 교부를 찾아와서 말했다.

"사부님, 저는 제가 할 수 있는 한 열심히 계율을 지키고, 금식을 행하고, 기도문을 외며, 묵상에 잠깁니다. 또한 제가 할 수 있는 한 제 마음 속에서 악한 생각을 물리치려고 노력하고 있습니다. 제가 무엇을 더하면 될까요?"

그러자 요셉 교부가 일어나서 손가락으로 하늘을 가리켰다. 그러자 그의 손가락이 마치 열 개의 등불처럼 불타기 시작했다.

요셉 교부는 말했다.

"이와 같이 하시오. 온 존재를 불꽃으로 탈바꿈시키시오."

진정한 삶이란 불꽃처럼 사는 삶이다. 감히 말하건대 그것이 곧 종교다. 무엇을 향하여 그 불꽃을 태울 것인가? 무슨 목적을 위해 내 삶을 태울 것인가? 삶 자체가 그것을 우리에게 가르쳐 주리라.

종교의 목적이 각 종교마다 조금씩 다르기는 하겠지만 그러나 궁극의 목적은 인간 의식의 완전함에 이르는 것이다. 그것을 우리는 깨달음을 얻는 것이라고 바꾸어 말할 수 있을 것이다.

한 수도승이 토굴에 앉아서 몇 년 동안 수행을 계속했다. 그는 바깥으로 나가지도 않았고 말도 하지 않았으며 토굴의 작은 구멍으로만 음식이 제공되었다.

어느날 개미 한 마리가 토굴 안으로 들어왔다. 수도승은 개미가 이리저리 기어다니는 모습을 가만히 지켜보았다. 마침내 수도승은 더 자세히 보기 위해서 개미를 손바닥 위에 올려 놓았으며, 개미에게 먹을 것도 주고 밤에는 컵으로 집을 삼아 주었다.

어느날 수도승은 문득 깨달았으니, 수행 십 년 만에 비로소 작은 개미의 사랑스러움에 자신이 눈을 뜨게 되었다는 것이다.

그렇다. 눈을 뜨는 것, 빽빽한 구름의 틈 사이로 갑자기 햇살이 비쳐내리듯 존재의 눈을 뜨고 사물을 바라보는 것, 그것이 종교가 우리에게 가르치는 것이다.

그러나 자신이 선택한 종교 속에서 우리는 얼마나 자주 눈을 감아 버리는가? 그래서 그 종교의 이론대로 삶을 해석하고, 그 해석에 맞지 않는 것은 거부하는 것, 그것이 우리 인간의 숙명이라면 숙명이다.

흔히들 영적 스승들은 에고를 성숙시켜서 에고를 벗어나라는 말을 자주 한다. 그러나 이 말을 정확히 이해하지 못하면 에고가 하

178

고 싶은 대로 마음껏 행하면 저절로 에고가 없어진다고 오해하기 십상이다.

하지만 삶이 나에게 가르쳐 준 에고의 성숙이란 그런 것이 아니었다. 에고는 성숙해질수록 힘이 약해지는 것이었으며 완전한 성숙에 이른 에고는 사라지고 마는 것이었다. 그러나 우리가 잠시만 눈을 감아도 에고가 성숙되는 것이 아니라 딱딱하게 굳어지기란 쉬운 일이다.

영혼의 비밀

유태교의 율법학자였던 도브 베어는 아주 특별한 사람이었다. 사람들은 그가 나타나면 겁을 집어먹었다. 그는 교리에 징통했고 신학적인 면에서는 한 치의 타협도 하지 않는 탈무드 학자였다. 그리고 그는 절대로 웃는 법이 없었다. 그는 금욕과 고행의 철저한 신봉자였고 여러 날씩 금식을 행하기도 했다.

마침내 그는 지나친 고행으로 병이 들었으나 어떤 의사도 고치지 못했다. 누군가 그에게 바알 셈 토브를 만나라고 권했다. 바알 셈은 유태교 신비주의인 하시디즘의 창시자로 가슴의 신앙에 기초한 새로운 민중 종교운동을 일으킨 장본인이었다.

바알 셈에 대해 이단이라며 거부감을 갖고 있던 도브 베어는 처음에는 망설였으나 그가 병을 치료하는 기적을 행한다는 주위의 권유로 그를 만나기로 했다.

자정이 지나서 바알 셈이 도브 베어의 방에 나타났다. 바알 셈은 곧장 방안으로 들어가 성경책을 도브 베어의 손에 쥐어 주고 큰 소리로 읽으라고 했다.

도브 베어가 읽는 도중에 바알 셈이 문득 읽는 것을 중지시키고서 말했다.

"당신에게는 무엇인가 빠져 있소. 당신의 신앙에는 중요한 것이 빠져 있소."

병자가 물었다.

"그것이 무엇이란 말이오?"

바알 셈이 말했다.

"영혼이오. 당신에게는 영혼이 빠져 있소."

이 별에 와서 여러 종교를 섭렵하면서 내가 가장 경계해야 할 것이 있었으니, 그것은 바로 '영혼을 잃어 버리는 것'이었다.

진정한 종교행위란 어떤 것일까? 종교는 왜 있는 것일까? 그것은 우리의 영혼을 위해 있는 것이다. 우리의 영혼이 먼저 있고 종교는 그 영혼의 비밀을 알기 위한 창문이다. 그 창문으로 우리는 하늘을 바라보되 창문의 모습으로 하늘의 모습을 판단해서는 안 된다는 것을 나는 배웠다.

무엇보다도 진정한 종교란 이웃을 돌보는 것이라고 예수도 말했고 부처도 말했다. 이웃이란 곧 나와 함께 이 별을 여행하는 무리들이다. 새, 물고기, 사람이 그들이다. 이 밤에 생각하건대, 그들이 없이는 나도 없다.

무엇보다 중요한 것

일본의 선승 테쯔겐은 불경 간행이라는 중요한 임무를 맡았다. 당시 불교 경전들이 중국에서나 구할 수 있었기에 그것을 전부 일본에서 간행하기로 한 것이다.

테쯔겐은 일본 전역을 돌면서 기금을 모집했다. 금을 기부한 부유한 사람들도 있었으나 대부분은 가난한 사람들이 낸 작은 것들이었다. 테쯔겐은 기부금의 액수에 상관없이 모두에게 깊은 감사를 올렸다.

십 년 여행 끝에 마침내 그는 불경 간행에 필요한 기금을 마련했다. 그런데 바로 그때 우지 강에 홍수가 일어 수만 명이 집과 식량을 잃었다. 그 가난한 사람들을 구제하느라 테쯔겐은 위대한 불사(佛事)를 위해 마련했던 돈을 다 써 버렸다.

다시 그는 기금 마련을 위해 여행을 떠났다. 필요한 금액을 모으는 데 또 여러 해가 걸렸다. 그러자 이번에는 나라 전체에 전염병이 돌아 테쯔겐은 고통받는 사람들을 위해 돈을 다 썼다.

다시 여행에 나선 그는 이십 년이나 지난 후에 숙원 사업이었던 일본어 불전 간행을 마칠 수 있었다. 그 초판본이 일본 교토의 오바쿠 사찰에 전시되어 있다. 사람들은 테쯔겐이 불전 간행을 세 차례에 걸쳐 했다고 말한다. 처음 두 번의 불전 간행은 눈에 보이지 않는 것으로, 세번째의 눈에 보이는 불전 간행보다 훨씬 위대한 것이었다.

영원을 꿈꾸는 시간

순간순간 속에 숨은 영원

그리고 비의 계절이 왔다. 구름들이 밀려와 빗물을 퍼붓기 시작한다. 거미들이 오월과 유월 내내 분주히 지은 집들도 허사가 되리라. 물방울의 무게에 눌려 얼마나 많은 작은 집들이 허물어질 것인가? 우리가 지은 집들은 또 얼마나 작은가?

드디어 비의 계절이 창문을 두드린다. 구름은 또다른 구름의 물결을 불러오고 겹겹이 내리는 여름비에 잠을 설치는 계절이 왔다.

비 내린 날의 아침, 이 시간이면 나는 집 뒤의 산으로 간다. 산뒤의 산들은 비안개에 가려 윤곽만 흐릿하다. 그것들은 굳이 히말라야의 봉우리가 아니더라도 영원함의 손짓이다. 신비주의자들이 느꼈던 무(無)의 미소, 영원의 철학······

한때 나는 삶의 모든 비밀을 알 수 있으리라 생각했었다. 별들이 모든 것을 가르쳐 주었던 시대의 사람들은 행복했으리라는 누구의 말처럼, 그때 나는 행복했었다.

삶이 그렇게 별빛처럼 뚜렷했을 때, 나는 삶이라는 것의 전부를 알아 버렸다고 단정지었다. 그렇기 때문에 내가 단정내린 삶 속으로 뛰어들 수 있었다.

내가 삶을 알아 버렸다고 자부하며 걸어다니기 시작했을 때, 내 나이는 스무 살이었다. 누구나 스무 살이면 투명한 눈을 지니게 된다. 나의 스무 살에도 세계는 물방울 속처럼 맑고 투명했다. 마치 삶은 살아갈 필요조차 없는 것처럼 너무나 자명해 보였다.

그러나 그 물방울 속에 또다른 물방울이 있다는 사실을 알게 된 때는 내가 이미 삶의 비밀이란 것을 그 누구도 알 수 없는 것이라고 생각하기 시작했을 때였다.

자신이 단정내린 삶 속으로 뛰어든 젊은이면 누구나 겪는 일처럼 나는 단정내려지지 않는 또다른 삶들에 의해 '배반' 당했다. 처음에 나는 그것이 실수라고 생각했고, 다음 번에는 내 의지의 부족이라고 생각했다.

그러나 나의 삶 속으로 계속해서 밀려 들어오는 그 단정내릴 수 없는 삶에 의해 나는 결국 세계는 나의 의지로는 극복할 수 없는 것이라고 실토하게 되었다. 이제 별빛은 서서히 희미해지기 시작했던 것이다. 나의 갈 길을 가르쳐 주던 운명의 별은 이제 사라지기 시작했다. 나는 또한 삶을 비판하며 떠돌아다녔다.

삶을 비판하는 사람이 지난 행복했던 시절을 잘 기억하지 못하듯 이제 비가 며칠째 내린 것만으로도 우리는 그 뜨거웠던 태양을 기억하지 못한다. 저 비의 구름 위로 올라가면 태양이 있듯이 우리가 살고 있는 이 세계 속에는 또다른 세계가 있고 그 곳에는 다시 우리가 들어갈 또다른 세계가 있음에도 우리는 곧잘 그 사실을 잊는다. 그리고는 지금 이 순간이 영원하리라 생각한다.

리차드 바크의 《갈매기의 꿈》에서 조나단은 스승에게서 다음과 같은 말을 듣는다.

"천국이란 존재하지 않는다. 천국은 천국으로 향하는 바로 그것이다."

똑같이 우리가 영원하다고 믿고 있는 것도 실상은 존재하지 않는다. 영원이라는 것 또한, 영원으로 가려는 그 몸짓이다. 사람들이 영원을 짧은 순간 속에서 찾지 못했다는 그 이유에서 영원은 우리로부터 멀어졌다. 영원이라는 것은 영원으로 향하는 시간의 물결 속에서 찾아야 한다.

산길의 곳곳에는 비로 인해 생긴 진흙무덤들이 풀잎을 덮고 있다. 잠시 멎었던 비가 다시 퍼붓기 시작한다.

나는 떡갈나무 그늘 아래서 비를 피한다. 잎사귀의 뒷면에 작은 달팽이가 뿔을 감추고 매달려 있다. 위에서 굵은 빗방울이 떨어질 때마다 그 잎사귀가 흔들린다. 뿔 감춘 달팽이의 잠도 흔들리리라.

영원함을 꿈꾸던 적이 있었지. 이 소멸해가는 순간들 속에서 눈짓 하나만으로도 영원을 느끼던 때가 있었지. 새벽바람을 맞으며 했던 열정적인 삶의 맹세도, 이제는 나의 것이 아닌 서늘한 젊은 날들도 영원하리라 믿었던 것이다.

하지만 시간이 우리에게 가르쳐 주는 것은, 오직 영원한 것은 우리가 영원하다고 믿는 것들을 변하게 만드는 그 시간뿐이라는 사실이다.

시간 속을 여행하는 우리에게 영원한 것은 없다. 장마도, 뜨거운 햇살도, 열정적인 삶의 맹세도, 젊은 나날도 단지 영원을 이루는 짧은 한 시절이었을 뿐이다. 그것들은 영원한 것이 아니다. 단지 그 순간들 속에 영원이 깃들어 있을 뿐이다. 그리고 영원 속에는 우리의 모든 나날들이 들어 있는 것이다. 구름 속에 비가 숨어 있고 다시 빽빽히 내리는 그 비 속에 구름이 숨어 있듯이 모든 우리의 순간들 속에는 영원이 숨어 있는 것이다.

아아, 그러한 것을 알지 못하고서 나는 불멸의 어떤 것을 꿈꾸었으니 얼마나 많은 순간들이 내 손가락 사이에서 모래알처럼 빠져나간 것이랴. 영원에 눈 멀어 순간을 보지 못한 한 눈 먼 자의 탄식이 내 입에서 저절로 흘러나온다.

새로운 비구름이 산 너머에서 밀려온다. 갑자기 날개 큰 새 한 마리가 짧게 선을 그으며 날아간다. 다시 또 빗줄기가 긋기 시작한다. 산길 저쪽에서 한 사람이 황급히 지나간다.

비 속에 숨은 것들은 참으로 많다. 빗물에 쓸려 내려가지 않으려고 풀줄기에 매달려 안간힘을 쓰는 작은 집게벌레, 결국은 또 한 차례 쓸려오는 빗물에 마지막 갈퀴발을 놓치고서 떠내려가고 만다. 도중에 다른 풀뿌리에 매달리려 하지만 헛일이다.

그러면 또다른 무당벌레가 돌틈에서 기어나와 나뭇가지 위로 기어오른다. 그 위에는 새가 숨어 있다. 더 자세히 보면 개미들이 둥치 뒤에 숨어 있고, 나방이는 잎사귀 표면에 매달려 눈을 깜빡이듯이 날개를 접었다 폈다 한다. 어느새 껍질이 잿빛으로 변한 사마귀도 사람을 놀래킨다.

모든 것들이 살아 있는 듯하지만 그곳에는 또 무수히 죽어가는 것들이 있다. 썩는 도중에 있는 나뭇가지들, 작년 재작년에 떨어진 잎사귀들, 이미 흙이 다 된 거무스레한 풀들, 그곳에는 또 많은 벌레들의 시체와 이름 없는 삶들이 있으리라.

이곳에 삶과 죽음이 함께 있다. 계절의 변화가 가져다 주는 무상함이 있다. 삶과 죽음이 맞물려 돌아가는 이곳에 우리가 집착할 것이 무엇이며 굳이 초월할 것이 또 무엇이겠는가?

그러나 더 자세히 보면 나무 그늘 속마다 어떤 그리움이 있지 않은가. 옛날의 사라진 불꽃들이 그 그늘 속에서 보인다. 자세히 보라. 우리가 잃어 버린 삶의 순수가, 존재의 환희가, 영원함에의 기대가 그곳에 숨죽이고서 정지해 있다.

한번은 잃어 버려야 하고, 또 한번은 반드시 되찾아야 하는 것이 우리의 숙명이던가.

그리움의 세계

비 내린 날의 아침에는 그리움이 있다.

나무 이파리들에 매달린 물방울들을 자세히 들여다본 사람은 그 속에 또다른 물방울의 세계가 들어 있음을 안다. 그것은 그리움의 세계다.

기다란 침엽수의 이파리 끝에 매달린 작은 물방울들, 가까이 가서 그 속을 들여다보자. 그곳에 한 세계가 있다. 물방울처럼 둥근 세계, 그 세계 속으로 걸어 들어가고 싶다. 내가 그리워하는 것 속으로 사라지고 싶다.

그 세계는 거미줄 위에 송글송글 얹힌 물방울들 속에도 있다. 풀잎 끝에 매달린 물방울들 속에도 있다. 하늘에서 속삭이듯이 내리는 빗방울들 속에도 있다. 작은 세계 속에 큰 세계가 있다.

이 비가 잠시 그치고 나면 뜨거운 태양에게 항의라도 하듯 매미들이 요란하게 울어대기 시작한다. 매미들은 무엇인가를 나에게 말해 주려는 듯 울어댄다. 여름 내내 나는 그 말을 들으리라.

매미들은 이렇게 말하고 있다.

"어서 떠나라. 왜 이곳에서 머뭇거리고 있는가? 왜 이 정거장에서 맴맴거리고 있는가? 이곳은 종착역이 아니다. 간이역일 뿐이다. 어서 떠나라."

그렇다. 내가 머물러 있는 이곳은 작은 간이역이지 종착역이 아니다. 어느날 매미들은 또 나에게 이렇게 울어대곤 했다.

"어서 집으로 돌아가라. 어서 너의 본래의 집으로 돌아가라. 너의 아버지의 집으로. 너의 본래면목으로 돌아가라."

어느 핸가 팔월의 이른 아침부터 저녁 늦게까지 매미들은 목이 쉬어라고 나에게 그러한 것들을 울어 주고 있었다. 나는 더 미룰 수가 없었다. 매미들의 재촉하는 소리를 더 이상 무시할 수 없었다.

그래서 나는 팔월이 지나고 구월이 접어들면서 짐을 꾸렸다.

내가 떠나기로 마음을 먹고 비행기표를 사고 여장을 꾸리자 비로소 매미들은 울음을 그쳤다. 떠난다는 것은 곧 돌아오기 위함이라고 누가 말했던가! 그러나 우리가 돌아올 곳이 어딘가? 그 이후 나에게는 계속 떠남만이 있을 뿐이다.

내 마음은 아직도 어디론가 떠나고 있다. 나는 안다, 매미들아, 이 삶이 내게는 종착역이 아니라는 것을. 나는 지금 이 별에 잠시 여행을 왔다는 것을. 나는 곧 다른 별로 여행을 떠날 것이다. 그 별에서 또다른 별로. 그리하여 다시는 이 땅에 태어나지 않으리라. 인간으로도 축생으로도 몸을 받지 않으리라. 떠도는 물방울로도 바람으로도 다시는 돌아오지 않으리라. 내 육신은 썩어서 그냥 무(無)가 되어 버리리라.

이 삶에서 나는 무엇을 추구하며 살았는가? 또 무엇을 추구하지 않았는가? 무엇을 얻으려고 했으며, 무엇을 버리려고 애썼는가? 그러나 끝내 버리지 못한 것은 무엇이었는가?

이 비 내리는 계절이 끝나고 나면 거미들은 다시 나뭇가지 사이에 분주히 집을 지을 것이고 뜨거운 태양 아래에서 우리는 그 길고 지루했던 비의 계절을 잊을 것이다. 영원토록 이어질 것 같은 그 뜨거운 태양 아래서 또 어떤 이는 영원을 이야기할 것이다.

그리고 다시 추위가 거짓말처럼 찾아오리라. 벌레들은 차가운 죽음을 맞이할 것이며 새들은 구름과 어울려 서둘러 떠나가리라. 그리하여 이내 주위는 얼어붙고 누구나 헐벗은 나뭇가지를 보게 될 것이다. 하지만 누구도 내 안의 불꽃은 보지 못하리라.

산을 바라보는 사람들

비가 개었다. 꿈결과도 같이 비의 계절이 가 버렸다. 그리고는 저 뜨거운 태양이 머리 위에서 빛나는 것이다. 태양 아래 영원한 것은 없으니 아무도 우리에게 삶의 미래를 약속할 수 없다. 우리에게 주어진 이 덧없고 짧은 시간들 속에서 어떤 약속과 다짐을 한다는 것은 그 덧없음을 잊기 위한 몸짓일 뿐이다.

따라서 우리에게 영원을 약속하는 자, 그는 누구인가? 그마저 영원하지 못한 존재가 아닌가?

나는 언젠가 이 삶을 떠날 것이다. 그때가 언제인지는 모르지만 반드시 내 육체는 썩어서 공(空)이 되어야 한다. "사대(四大)가 흩어지니 육신은 공하도다." 사대란 곧 흙, 물, 불, 바람 같은 것이다.

그리하여 이 생에서 내가 맺었던 인연들도 부서질 것이다. 그것은 거역할 수 없는 숙명이다. 그 숙명 앞에서는 어떤 몸짓도 다만 슬픔이다.

우파니샤드의 현자가 말하고 있듯이 냄새도 없고 색깔도 없고 형체도 없는 그것이 아가리를 벌리고 우리 앞에 있도다. 아니면 장 그르니에가 실토하듯이, 그래서 우리는 하루에 세 번씩 무섭다. 해가 질 때, 잠들기 시작할 때, 그리고 잠에서 깨어날 때……

비 개어 내 창가에서 보이는 산들이 더욱 푸르다. 저 산에서 누구는 나무를 보았고 누구는 숲 전체를 보았다. 누구는 초월을 보았으며 누구는 또 삶의 비애를 보았다.

그래서 저 산으로 떠나서 돌아오지 않은 사람도 있고 떠날 것을 꿈꾸는 사람도 있다. 두려움을 간직한 채.

인도에서는 쉰 살의 나이를 '산을 바라보는 나이'라고 표현한다. 이제 오십 년 동안 세속의 삶을 누렸으니 그 모든 것으로부터 떠나서 진리와 마음의 평화를 찾을 때가 왔다는 뜻이다. 그래서 예순 살은 그들에겐 '산으로 가는 나이'다.

동서양을 막론하고 예로부터 산은 곧 '신(神)'이 거하는 장소다. 그리고 또 욕망에 쉽게 이끌리는 인간이 신이 되기를 꿈꾸는 장소다. 세상의 욕망으로부터 벗어나고 싶어하는 인간에게 산만큼 호소력을 가진 곳도 없다.

산은 세속과의 분리를 뜻한다. 그곳에서는 세속을 내려다볼 수 있으며 초연할 수 있다. 이 세상의 시간과 산속의 시간은 다르다. 예수 역시 참된 수행자는 산에서 살라고 말했다.

내 어렸을 때에도 강가에서 건너편 산을 바라보며 앉아 있곤 했으니 저녁이 강 저쪽에서 안개와 함께 밀려올 시간이면 내가 찾아가야 할 신비한 무엇이 그곳에 있는 듯했다.

　그리고 또 새벽에 숲을 지나 강가로 걸어나가면 자욱한 안개가 길을 가로막고 산을 안 보이게 했다. 더듬어 산으로 가면 산안개가 나무들과 돌들을 감추고 있었다.

　안개에 가린 산은 언제나 인간의 가슴속에 신비감을 불러일으킨다. 그 속에 무엇인가 숨어 있는 듯하지만 그것은 안개에 가려 보이지 않는다. 멀리 있는 듯하나 가까이 있고, 가까이 있는 듯하나 또한 멀리 있다.

　　　나무 뒤에 숨는 것과 안개 속에 숨는 것은 다르다
　　　나무 뒤에선
　　　인기척과 함께 곧 들키고 말지만
　　　안개 속에서는
　　　가까이 있으나 그 가까움은 안개에 가려지고
　　　멀리 있어도 그 거리는 안개에 채워진다
　　　산나는 것은 그러한 것
　　　때로 우리는 서로 가까이 있음을 견디지 못하고
　　　때로는 멀어져감을 두려워한다
　　　안개 속에 숨는 것은 다르다
　　　나무 뒤에선 누구나 고독하고, 그 고독을 들킬까 굳이 염려하지만
　　　안개 속에서는
　　　삶에서 혼자인 것도 여럿인 것도 없다
　　　그러나 안개는 언제까지나 우리 곁에 머무를 수 없는 것

시간이 가면
안개는 걷히고 우리는 나무들처럼
적당한 간격으로 서서
서로를 바라본다
산다는 것은 결국 그러한 것
어디서 와서 어디로 가는지도 모르게
시작도 끝도 알지 못하면서
안개 뒤에 나타났다가 다시 안개 속에 숨는 것
나무 뒤에 숨는 것과 안개 속에 숨는 것은 다르다
──〈안개 속에 숨다〉

영혼이 새처럼 날아가 버리다

누구에게나 찾아오는 것

누가 말하지 않아도 육체는 유한하다. 태양이 뜨거운 날이면 그것이 더욱 실감나게 다가온다. 인도식 표현대로 하자면 '영혼이 새처럼 날아가 버리는 순간' 육체는 금방 흙의 원소로 돌아간다. 그리고는 끝이다. 과연 끝인가? 그 다음은 어떻게 되는가? 새처럼 날아간 그 영혼은 어느 곳으로 머리를 두는가?

그것에 대해 나는 많은 책을 읽고 숱한 해석을 들었다. 그러나 모든 것이 이 덧없는 인생을 위로하기 위한 이론들일 뿐이고 그 어떤 이론들로도 죽음은 무너뜨려지지 않는다. 죽음은 저 뜨거운 태양처럼 확고하고 불변의 것이다. 그리고 그 앞에서 우리는 날벌레들처럼 작은 몸짓에 그칠 뿐이다.

그렇더라도 죽음에 대해 말하지 않고서 우리가 어떻게 삶을 말할 수 있으랴. 삶은 어쩌면 죽음이라는 저 절대 명제 앞에서 훌륭하게 처신하는 법을 우리에게 가르쳐 주는 것인지도 모른다.

랍비 번함이 임종을 맞이한 자리에서 그의 아내가 슬피 울기 시작했다. 그러자 랍비 번함이 잠시 창밖을 바라보고 나서 그의 늙은 아내에게 말했다.

"당신은 무엇 때문에 우는가? 나의 전생애는 오로지 어떻게 죽을 것인가를 배우기 위한 것이었는데!"

죽음을 두려워한다면 삶 역시도 두려울 수밖에 없다. 삶은 곧 죽음으로 가는 여행이기에!

죽음 앞에서는 누구도 다르지 않다. 그러나 어떻게 죽음을 맞이했는가는 다르다. 불교에서는 깨달음을 얻은 자의 죽음과 깨닫지 못한 자의 죽음을 구분한다. 깨달음을 얻은 자에게는 죽음이 전체와의 합일(合一)이지만, 깨달음을 얻지 못한 자에게는 죽음이 하나의 과정에 불과하여, 그는 자신이 이 생에서 쌓은 대로 다시 세상에 나와야 한다.

생(生)과 사(死)의 윤회에서 벗어나는 길은 인식의 완전에 이르는 길이다. 그것은 무엇을 말함인가? 동양식으로 말하든 서양식으로 말하든 그것은 죽을 수밖에 없는 육체 속에 담긴, 죽지 않는 불멸의 것을 인식하여 그것과 하나가 되는 일이다. 그것은 무지개 빛 꿈이 아니라 실현 가능한 것이라고 도인들은 말한다. 그것이 곧 성불(成佛)이고 구원이다.

비가 개었다. 한 차례 퍼붓던 여름날의 소나기가 걷히면 예기치 않게 무지개가 나타난다. 그것이 왜 그렇게 우리의 가슴을 뛰게 하는지 모르지만, 어쨌거나 이 번잡하고 때묻은 세상 위에 그것은 기적처럼 걸려 있다.

신은 인간에게 약속에 대한 징표로 무지개를 선사했다. 무엇에 대한 약속인가? 다시는 대홍수로 인간을 죽이지 않겠다는 약속이다. 언젠가는 반드시 죽어야 하는 인간을 새삼 벌 주려고 한 신의 의도는 제쳐 놓더라도, 생명으로 이르는 다리인 저 무지개는 이 뜨거운 여름날이 일깨우는 또 하나의 꿈이다.

다시 말하지만 죽음은 누구에게나 찾아온다. 스페인의 철학자 우나무노가 고백했듯이, 비록 내 영혼이 내세를 누리고 그 생명을 계속 이어나간다 해도 내 육체가, 내 팔다리가, 내 두 눈이 썩어서 흙이 된다는 것은 두려운 일이 아닐 수 없다.

미련 없는 죽음

어떤 점치는 여인이 있었다. 하루는 제우스신인가가 그녀에게서 좋은 점괘를 받고는 소원 한 가지를 들어 주겠다고 약속했다. 그러자 점치는 여인은 제우스신에게 죽지 않게 해 달라고 했다.

제우스신은 두 손으로 발밑의 모래를 한 줌 집어들어 공중에 뿌리면서 말했다.

"이 모래가 전부 사라질 때까지 너는 삶을 계속하리라."

그래서 점치는 여인은 소원대로 죽지 않고 끝없이 살게 되었다. 그런데 그녀가 잊었던 것이 있었으니, 그것은 늙지 않게 해 달라는 것이었다. 그녀는 계속 늙어갔으며, 그래도 육체는 죽지 않았다.

그래서 마을 사람들은 그녀를 마귀라 하여 큰 항아리 속에 거꾸로 매달아 놓았다. 그래도 그녀는 죽지 않았다.

그래서 지금도 그 항아리 속에서 점치는 여인은 외치고 있다고 하지 않은가.

"나는 죽고 싶다! 나는 죽고 싶다! 나에게 죽음을 다오!"

육체는 태어나고 늙고 병들어 죽는다. 이것을 부처는 기본적인 생의 네 가지 고통이라 했다. 이 네 가지 고통은 누구도 대신할 수 없으며, 또 그 고통에서 벗어나서 사는 사람은 아무도 없다. 왕도 거지도 다를 바 없다. 따라서 삶 자체는 고통이라고 부처는 보았다.

얼핏 보면 그 고통에서 벗어날 수 있는 유일한 길은 죽음이다. 따라서 죽음은 얼마나 축복된 일인가! 그러나 인식의 완전함에 도달하지 않고 죽은 자는 또다시 그 생로병사의 굴레를 계속해야 한다. 따라서 부처는 삶의 고통을 보았으면서도 자살을 꾀하지 않았다. 인식의 완전에 도달하고 나서야, 그리고 제자들에게 그 길을 가르쳐 주고 나서야 비로소 '미련 없는' 죽음을 맞이했다.

과연 우리는 진정으로 미련 없이 죽을 수 있을까? 지금 이 순간에 죽음이 찾아온다면, 그래도 아무런 미련 없이 편안히 맞이할 수 있겠는가?

아무리 작은 미련이 남더라도, 그 미련은 우리가 다시 태어날 수 있는 씨앗이 된다고 부처는 말한다. 미련은 슬픔을 남기고, 슬픔은 한이 된다.

그리하여 죽은 자도 한이 남고, 죽은 자를 보내는 자들도 한이 남는다. 그래서 우리는 죽은 자를 그냥 보내지 못하고 특별한 장례

196

절차를 거치는 것이다.

삶을 생각하는 방식에 따라 장사지내는 방법도 다르다. 그래서 동서양에는 많은 장례의식이 있다. 마지막날에 부활을 약속하기 위해서 기독교도들은 시체를 손상시키지 않고 땅에 묻는다.

힌두교도들은 죽은 자를 꽃과 함께 갠지스 강에 흘려보낸다. 갠지스 강은 큰 바다로 흘러가기 때문에 결국 인간은 '아트만', 즉 큰나[大我]에서 나와서 큰 나로 돌아간다고 그들은 믿은 것이다.

삶의 정도(正道)를 특별히 추구했던 유교인들은 죽어서도 그 사람을 양지바르고 경치 좋은 명당자리에 묻는다. 그리하여 죽은 자는 계속해서 살아 있는 자들과 관계를 맺고 산 자들의 길흉화복에 관여한다.

나는 히말라야 티벳인들의 장례식을 사진으로 본 적이 있다. 그들은 사람이 죽으면 높은 산의 큰 바위 위로 데려가 큰 낫 같은 것으로 시체를 토막낸다. 뼈는 바위의 움푹 패인 구멍에 넣고 빻아서 가루를 만들어 바람에 뿌려 버리고, 살점들은 기다리고 있던 거대한 새 콘도르에게 던져 준다. 그러면 샤만이 와서 그 새들과 대화를 나눈다. 죽은 자의 영혼이 어디로 갔는지를 새들이 말해 주는 것이다.

죽은 자의 시체를 새에게 먹이로 주는 것은 아메리카 인디언들도 마찬가지다. 그들은 초막을 지어 그 위에 유해를 놓아 둔다. 그러면 새들이 와서 그것을 뜯어 먹음으로써 그 영혼은 새들의 목을 타고 비상하여 하늘의 조상들 세계로 날아 올라가는 것이다.

삶을 허무라고 느끼는 불교도들은 이 고(苦)의 세상에 다시는 몸을 남기지 않고 극락세계로 떠나라는 의미에서 육신을 불에 태위 재를 만든다.

그러나 변함없는 사실이 있으니, 굳이 비극적인 어투를 사용하지 않더라도 삶은 고통이며 죽음 또한 슬픔이다. 그러니 우리가 빠져 달아날 구멍은 어디에도 없는 듯하다. 영원히 살 것처럼 살고 있지만 죽음은 복병처럼 숨어 있고, 또는 그림자처럼 따라다닌다.

아무리 심각하지 않으려고 해도 생자필멸, 즉 산 자는 반드시 죽는다는 이 부정할 수 없는 진리 앞에서 평범한 자는 누구나 비참해지지 않을 수 없다. 죽지 않으려고 떼를 썼던 왕들이나 목숨을 연명하기 위해 구걸하던 걸인들도 결국 목적지는 하나였다.

피할 수 없는 죽음

어떤 왕이 있었다. 하루는 그가 잠을 자는데 지붕 위에서 죽음의 사신이 걸어다니는 소리가 들렸다.

왕은 죽음의 사신에게 애걸했다. 하루만 시간의 여유를 달라고, 그러면 죽지 않을 방법을 찾아 보겠다고.

다음날 왕은 나라 안의 유명한 현자와 철학자들을 불러 모아 놓고 죽음에서 탈출하는 방법을 물었다. 아무도 답을 내놓지 못했다. 그러자 한 궁정신하가 왕에게 가능한 한 멀리 도망을 치라고 권했다.

왕은 가장 빠른 말을 골라 타고 전속력으로 달렸다. 어느덧 해가 지고 있었으며, 죽음의 사신과 약속한 시간이 다가왔다. 왕은 쉬지 않고 달린 끝에 궁정에서 한없이 멀리 떨어진 숲에 이르렀다.

이쯤이면 되겠지 하고 안심하고서 말에서 내린 왕의 어깨에 순간 서늘한 손길이 느껴졌다. 뒤돌아보니 그는 죽음의 사신이었다.

죽음의 사신은 왕에게 말했다.

"당신의 말은 정말로 훌륭한 말이오. 그토록 빨리 달릴 수 있는 말은 세상에 없을 것이오. 덕분에 당신은 당신의 운명을 실현할 수 있게 되었소. 당신은 바로 이 시간, 이 자리에서 죽게 되어 있었소."

그렇지 않은가? 우리 모두는 전속력으로 달리는 시간의 말을 타고서 예정된 죽음의 장소를 향해 달려가고 있다. 어느 쪽으로 말머리를 돌리든 죽음은 이미 예정되어 있으며, 그 말에서 우리는 결코 내릴 수 없다.

그리고 조선시대에 한 뛰어난 명리학(命理學)의 대가가 있었다. 그는 사람들이 앉아서 밥 먹는 모습만 봐도 그가 어느 날 어느 시에 죽을지 알아맞출 만큼 공부가 뛰어났다. 그의 앞에서는 누가 충신이고 누가 간신인가도 숨길 수 없었다.

자연히 그는 왕의 총애를 받게 되었다. 하루는 일찍 일어나 자신의 운세를 살펴보니 그날 아침에 죽는 점괘가 나왔다. 아무리 생각해 봐도 죽을 이유가 없고 몸도 아주 건강했기 때문에 그는 자신의 운명을 의아해 할 수밖에 없었다.

아침식사 시간이 되어 그는 하인이 차려다 주는 상 앞에 앉았다. 그는 늘 아침식사를 지네즙과 밤으로 했는데, 지네즙은 맹독성이지만 마시는 즉시 밤을 먹어서 그 독을 중화시키면 대단한 보약이 된다고 그는 믿었던 것이다. 그날 아침도 그는 지네즙과 밤이 든 그릇을 받아들고 먼저 지네즙을 들이마셨다.

그런데 그가 막 밤을 집어서 입에 넣었는데 그것이 씹히지 않았다. 그것은 밤이 아니라 버드나무를 밤처럼 썰어 놓은 것이었다. 그를 시기하던 반대파 신하들이 술수를 썼던 것이다. 결국 지네의 독이 퍼져서 그는 죽고 말았다.

남의 죽음을 알아맞추는 자도 자신의 죽음만은 어쩌지 못한다. 그렇다면 우리의 삶은 이 어두운 죽음 앞에서 아무것도 아니란 말인가? 우리가 추구하던 모든 의미들이 죽음 앞에선 그만 무력해져서 허사가 되어 버린단 말인가?

그럼에도 불구하고 우리에게 희망을 주는 것이 있으니, 죽음을 초연하게 여기고 삶만큼이나 죽음을 즐겁게 받아들인 도인들이 있었다. 그들은 삶과 죽음을 하나로 꿰뚫어보았던 것이다. 그래서 삶의 부질없는 것들에 심각하게 매달리지 않은 것처럼 그들은 죽음에 대해서도 심각하지 않았다.

초연한 죽음

중국의 장자(莊子)는 임종을 맞이했을 때 성대한 장례절차를 의논하는 제자들에게 말했다.

"나는 하늘과 땅으로 나의 관을 삼을 것이다. 해와 달은 내 곁에 걸려 있는 한 쌍의 옥(玉)이 될 것이며, 혹성과 별무리들이 내 둘레에서 온통 보석들처럼 빛날 것이다. 그리고 만물이 내 장례식날 조문객들로서 참석할 것이다. 더 이상 무엇이 필요한가? 모든 것은 두루 돌보아진다."

그러자 제자들이 말했다.

"우리는 스승님의 시신을 그냥 내던지면 까마귀와 솔개들이 그것을 쪼아 먹을까 두렵습니다."

장자는 말했다.

"그렇다. 땅 위에 있으면 나는 까마귀나 솔개의 밥이 될 것이다. 그리고 땅 속에서는 개미와 벌레들에게 먹힐 것이다. 어느 경우든 나는 먹힐 것이다. 그러니 왜 그대들은 새에게 먹히는 경우만 생각하는가?"

장자는 죽음을 자연으로 돌아감으로 보았고, 탄생을 자연에서 나옴으로 보았으며, 그것들은 전혀 무리한 일이 아니고 더불어 슬퍼할 일도 아니라고 보았다.

그래서 사는 동안 본성(本性)을 거슬려 화를 내거나 슬퍼하지 않았으며 무리하지 않았다. 죽음에 이르러서도 그 본성을 따라서 초연하게 받아들였다. 삶이나 죽음 자체에 어떠한 의미도 인위적으로 부여하지 않았다. 그야말로 그는 무위자연에서 살다 간 한 사람의 자연인이었다.

온갖 종교와 철학을 동원해서 죽지 않으려고 발버둥치는 인간의 인위적인 노력을 비웃으면서 죽음까지도 하나의 연극으로 여긴 도인이 또 한 사람 있었다. 그에게는 두 친구가 있었다. 그들은 늘 어울려 술을 마시며, 심각하게 세상을 살아가는 사람들을 우스워했다. 그들에게는 삶 자체가 하나의 연기이며 그 어떤 것에도 연기 이상의 가치를 주지 않았다.

그러면서 그들은 자연이 그들 중에 누구를 먼저 데려가는가를 놓고 내기를 할 정도였다.

그러던 어느날 한 친구가 죽음을 맞이하게 되었다. 그는 죽으면서 두 친구에게 자신이 입고 있는 옷 그대로 입혀서 화장을 해달라고 유언을 남겼다.

내기에 진 두 친구들은 유언에 따라서 그를 입고 있는 옷 그대로 장작더미에 올려 놓고 불을 붙였다. 불길이 장작을 태우면서 시체에 옮겨붙는 순간이었다. 갑자기 시체의 몸에서 수많은 폭죽이 공중으로 터져나오기 시작했다. 그 죽음을 구경하던 마을 사람들은 그만 혼비백산하여 흩어졌다.

죽은 친구는 죽기 전에 마지막 장난을 치기 위해서 옷 속에 폭죽을 가득 숨겨 놓았던 것이다. 장례식장에서 때 아닌 폭죽이 하늘을 장식하고, 살아 있는 두 친구는 춤을 추기 시작했다. 그들에게는 죽음마저도 하나의 장난이요, 웃음을 터뜨릴 수 있는 일이었던 것이다.

죽기에 참으로 좋은 날

비의 계절이 지나고, 나는 다시 창가에 앉아서 맞은편 산을 바라본다. 내가 글을 쓰는 책상 앞으로 열린 창에서는 맞바로 녹음이 우거진 건너편 산이 눈에 들어온다.

산을 바라보는 것은 언제나 좋다.

그것은 어떤 책보다도, 어떤 경전보다도 많은 것을 나에게 말해준다. 산을 바라보면서 살 수 있다는 것은 참으로 큰 행운이다. 산은 내가 언젠가는 이 삶을 버리고, 이 육체의 짐을 벗고 떠나야 할 어떤 장소의 상징이다.

내 일찍부터 산으로 갈 것을 동경했으니, 그것은 단순히 육체의 죽음이 아니라 생과 사의 굴레를 벗음이며, 미움과 인간적 정으로부터 해방이었다.

그래서 나는 과연 그것을 얻었다 말할 수 있는가?

비가 개인 날 산을 바라보면 그곳에 그리움이 있다. 내가 찾아가야 할 곳, 오히려 이 삶에서보다 더 많은 것을 얻을 수 있는 곳이 그곳에 있다.

내 창에서 바라다보이는 산 아래쪽에는 작은 구멍가게가 하나 있다. 그 구멍가게는 큰 느티나무에 가려져 지붕이 반쯤만 보이고, 가게 옆 벽에는 빨간색 공중전화가 한 대 있다. 우리집에 찾아오는 사람들이 곧잘 전화를 거는 곳이다.

땅거미가 깔리고 연기가 흩어지는 저녁이면 아이들이 불룩한 배에 아랫도리를 벗고서 가게 앞을 기웃거린다. 머리를 빡빡 깎은 내 아들 '미륵'이도 그곳에서 놀고 있다. 그러면 이윽고 희미한 불이 가게 안에 켜지고 밤이 찾아오는 것이다.

그 구멍가게의 주인은 할머다. 그 할머니는 남은 여생을 마저 그 구멍가게에서 보내리라. 그러다가 죽으면 뒷산으로 돌아가리라.

나는 이 창가에서 벌써 두 해를 보냈다. 구멍가게의 지붕에 눈이 덮이던 겨울날도 있었고, 빗물이 그 앞의 도로로 휩쓸려 내려가던 여름철도 있었다. 아침에 일어나 보면 버드나무의 낙엽이 하나 가득 가게 앞에 널려 있던 적도 있었다. 구멍가게의 뒤쪽 산에서 폭죽처럼 온갖 꽃들이 터져나오던 봄날도 있었다.

그리고 할머니는 늘 구부정한 등으로 계절에 관계없이 그 가게 안에 앉아 있다. 산기슭에 있는 절 쪽으로 가는 사람들을 바라보면서, 또는 일견 무심한 표정으로.

할머니가 보이지 않는 날이면 궁금하다. 혹시 병으로 앓아 누운 게 아닐까? 아니면 혹시?

할머니가 설령 눈을 감는다 해도 세상은 하나도 달라지지 않으리라. 산에서는 여전히 꽃이 피고, 녹음이 우거지고, 그런가 하면 또 비와 눈이 한꺼번에 쏟아지기도 하리라. 이내 다른 사람이 그 가게를 차지할 것이다.

우리가 어차피 죽음을 맞이할 수밖에 없다면 과연 어느 날이 그 날로 적당할 것인가?

삶과 죽음에 초연했던 한 선사가 있었다. 하루는 그가 시를 쓰는 친구를 방문했더니 시인은 마침 한 편의 시를 썼다면서 그것을 읽어 주었다.

　오늘은
　새해의 일곱째 되는 날
　죽기에
　참으로 좋은 날이 아닌가!

시인이 시읽기를 마치자마자 선사는 고개를 떨구고 죽어 있었다.

삶을 한낱 꿈으로 본 사람은 죽음마저도 꿈이다. 그것이 꿈일 바에야 눈 오고 비 내리는 그 어느 날인들 좋지 않으랴.

문득 셰익스피어의 시구가 생각난다.

"사는 것, 잠자는 것, 죽는 것, 이 모두가 꿈이 아닌가! 그렇다, 그것이 문제다. 꿈이 아니라고 생각하는 것……."

또 한 편의 선시(禪詩)가 잇따라 내 귀에 들린다.

나뭇잎 하나가
바람에 실려
가지에서 떨어진다
그러다가 갑자기
나뭇가지로 다시 올라간다
아니, 나비였구나!

　육신의 죽음 뒤에 '나비'처럼 영혼은 눈부시게 부활할 것인가! 아아, 나는 모른다. 죽음 저편의 세계를. 그리고 나는 죽음 이편의 세계조차 제대로 알지 못한다. 언제나 그것을 알 수 있을까? 언제나 나는 이들 두 세계의 해답을 손에 쥐게 될 것인가?

　비가 개었다. 뜨거운 태양이 머리 위에서 빛난다. 이 계절에 깨닫는 것은, 누가 너에게 영원한 생명을 약속하거든 그를 믿지 말라는 것이다.

　죽음 너머의 영원한 세계, 나는 그 해답을 얻고 싶었다. 죽는 것이 나는 두려웠으나, 또한 죽음 너머의 세계를 알고 싶었다. 그러나 내가 깨달은 것은 죽음 역시 하나의 정거장이며, 그 정거장 다음에는 또다른 여행이 기다리고 있다는 것이다. 그리고 이 여행들에는 같은 운명을 등에 지고서 함께 여행할 '형제'가 필요하다는 것이다.

　성 프란치스코가 죽음을 맞이했다. 그는 마지막으로 자신과 늘 고락을 같이 한 당나귀에게로 다가갔다. 당나귀는 눈이 오나 비가 오나 프란치스코를 싣고 다녔다. 한 번도 프란치스코의 부탁을 거절한 적이 없었다. 프란치스코가 신에게 순종한 것 이상으로 당나귀는 그에게 순종했다. 프란치스코에게 있어서 그 당나귀는 그 누구보다도 가까운 믿음의 형제였다. 자신의 주인에게 헌신하는 점에 있어서 당나귀와 프란치스코는 한 형제였다.

성 프란치스코는 당나귀의 머리를 껴안고 귀에다 속삭였다.

"고맙다, 형제여!"

이 한 마디를 마치고 그는 방으로 돌아와 숨을 거두었다.

제5부
여행의 끝

시월 새벽

시월이 왔다.
그리고 새벽이 문지방을 넘어와
차가운 손으로 이마를 만진다.
언제까지 잠들어 있을 것이냐고
개똥쥐바퀴들이 나무를 흔든다.

*

시월이 왔다.
여러 해 만에
평온한 느낌 같은 것이 안개처럼 감싼다.

210

산모퉁이에선 인부들이 새 무덤을 파고
죽은 자는 아직 도착하지 않았다.

*

나는 누구인가.
저 서늘한 그늘 속에서
어린 동물의 눈처럼 나를 응시하는 것은
무엇인가.
어디 그것을 따라가 볼까.

*

또다시 시월이 왔다.
아무도 침범할 수 없는 침묵이
눈을 감으면 밝아지는
빛이 여기에 있다.

*

잎사귀들은 흙 위에 얼굴을 묻고
이슬 얹혀 팽팽해진 거미줄들.

한때는 냉정하게 마음을 먹으려고 노력한 적이 있었다.
그럴수록 눈물이 많아졌다.
이슬 얹힌 거미줄처럼
내 온 존재에 눈물이 가득 걸렸던 적이 있었다.

*

시월 새벽, 새 한 마리
가시덤불에 떨어져 죽다.
어떤 새는
죽을 때 가시덤불에 몸을 던져
마지막 울음을 토해내고 죽는다지만
이 이름 없는 새는 죽으면서
무슨 울음을 울었을까.

*

시월이 왔다.
구름들은 빨리 지나가고
곤충들에게는 더 많은 식량이 필요하리라.
곧 모든 것이 얼고
나는 얼음에 갇힌 불꽃을 보리라.

달팽이에게 길을 물어

다시금 나는 하루의 밤 깊은 시간으로 돌아온다. 마치 먼 나라를 여행하고 돌아온 나그네처럼. 또는 저녁의 강가에 오래도록 앉아 있다가 자기 움막으로 돌아온 은자처럼.

그래서 다시 내 방의 불빛을 향해 날아드는 날벌레들의 소리를 듣는다. 시계 바늘은 자정 너머를 가리키고 바람이 나무들을 쓸고 내려간다. 별빛이 바람에 스치운다.

시간은 덧없다. 고대 힌두의 속담에 의할 것 같으면 시간은 모든 것을 집어 삼키는 괴물이다.

덧없는 시간 속에서 내 삶은 흘러간다. 짧은 생의 많은 부분을 일상적인 일들이 차지해 버리고, 뚜렷이 비극적인 사건이 있거나 크게 불행한 것은 아니지만 때로 걷잡을 수 없는 삶의 허무함이 나를 엄습한다. 저 바람처럼.

짐승들은 밖의 것에서 두려움을 느끼지만 인간은 자기 안에 있는 것 때문에 두려워하는 것이다.

과연 삶의 무엇이 우리를 지치게 하는가? 그것은 삶이 본질적으로 갖고 있는 고(苦), 저 고타마 싯달타가 알아차렸던 '두카'인가? 허무함 또는 누구도 어쩌지 못하는 사람됨의 부조리? 시간의 되돌릴 수 없음? 아니면 우리를 둘러싸고 있는 더러운 요소들, 이를테면 잘난 체하는 정치인들 내지는 우리들 머리 속의 정치성일 수도 있을 것이다.

함정은 도처에 있다. 우리를 지쳐 쓰러지게 하는 것들. 그것들에서 벗어나기 위해 다른 삶의 길을 떠났던 한 여행자를 나는 알고 있다. 그는 그것을 '내면의 길'이라고 불렀다.

지도조차 없는 여행. 니르바나로의 여행. 나는 강과 산을 건너 그를 따랐다. 한동안 내 삶이 그렇게 흘러갔다. 강을 만나면 강가를 걸었고, 숲을 만나면 그 나무 아래서 잠들었다. 병들면 아파했고, 기차가 쉬는 낯선 곳에 무작정 내려서 먼 들판을 걷기도 했다.

그렇게 십 년의 세월이 흐른 뒤에야 나는 그 여행자가 곧 나 자신임을 알았다. 내 안의 목소리였던 것이다.

뉴욕에서 만났던 어느 흑인 거지가 있었다. 봄비가 내리던 사월의 어느날 나는 비를 피하기 위해 건물 밑에 서 있다가 그와 잠시 이야기를 나누게 되었다. 뉴욕에서 무엇을 하고 있느냐는 그의 물음에 나는 여행자라고 신분을 밝혔다.

그러자 그 흑인 거지가 어깨를 으쓱하면서 말했다.

"세상 사람 모두가 여행자 아닌가? 너는 너만이 여행자라고 생

214

각하나?"

"You are right!"

그렇다. 흑인 거지여, 너의 말이 옳다. 세상에 여행자 아닌 사람이 어디 있겠는가? 그는 뉴욕 할렘가 근처 공터에 버려진 부서진 차를 집으로 삼고 살아가고 있었는데, 그 '집'에 초대받아 간 나는 영국제 골동품 커피 믹서기가 놓여 있는 것을 보고 그에게 그것이 그의 것이냐 물었다.

그는 다시 어깨를 으쓱하며 말했다.

"세상에 내 것이 어디 있겠는가?"

"You are right!"

그렇다. 흑인 현자여, 아무것도 소유한 것이 없는 너의 말이 옳다. 세상에 나의 것이 어디 있겠는가? 우리 모두가 여행자인 것을.

뉴욕에 있다가 나는 캘리포니아로 날아갔다. 며칠 동안 로스엔젤레스에 머물렀지만 더 이상 갈 곳이 없어졌다. 미국이라는 나라가 갑자기 막막해졌다. 차도 없고, 어디로 가야 할지 막막했다. 그래서 돌아오기로 마음먹었다.

돌아오기 전에 나는 할리우드 근처의 '보리수 서점'에 들렀다가 우연히 네덜란드에서 온 히피 여행자를 만났다. 대화를 나누다가 마음이 통한 우리는 함께 여행을 계속하기로 했다. 운좋게도 그는 렌터카를 갖고 있었다. 우리는 두 달 동안 아리조나에서 멀리 캐나다 국경에 이르는 해변을 여행하면서 온갖 명상센터들을 여행했다. 도중에 우리는 《성자가 된 청소부》의 저자인 침묵의 성자 바바 하리 다스를 만나기도 했다. 그의 눈을 나는 잊지 못한다.

인도에서는 또 갑자기 막막해져서 쓰러졌었다. 먹지도 못하고 숨도 제대로 쉬지 못할 때 정거장에서 만난 한 인도인이 나를 뉴델리의 호텔까지 데려다 주었으며, 호텔에서는 침대에 누워 있는데 갑자기 '티벳에 대한 어떤 것'이 내 머리를 영감처럼 스쳤다. 그래서 나는 프론트에 전화를 걸어 이 호텔에 티벳 사람이 있는가를 물었다. 그러자 티벳 소년이 한 명 보이로 일하고 있다는 것이었다.

그 티벳 소년이 나흘 동안 나를 보살펴 주었다. 지금까지 나는 수많은 사람들을 만났지만 그 티벳 소년만큼 순수하고 순진무구한 영혼을 알지 못한다.

그는 영어를 알지 못했다. 그리고 나는 티벳어를 이해하지 못했다. 그래서 그는 티벳어로, 나는 한국말로 대화를 나누었다. 아아, 우리는 얼마나 많은 시간 서로 그렇게 얘기를 나누었던가. 우리는 언어를 초월해서 모든 것을 이해했으며 서로의 영혼을 들여다보았다. 어쩌면 그것이 나에게는 최초로 내 영혼을 '느낀' 순간이었는지도 모른다.

회복하여 그 호텔을 떠날 때 나는 그에게 아무것도 줄 수가 없었다. 우리가 두세 마디 작별의 말을 나누는 것말고 또 무슨 말을 할 수 있겠는가? 세발택시를 타고 멀어져가는 내 등 뒤에서 그는 오랫동안 서 있었다.

우리 다시는 만나지 못하리라. 적어도 이 생에서는. 그 다음 생에 대해서야 우리가 무엇을 알겠는가마는…….

나는 아직도 그의 눈을 잊지 못한다. 아무런 인간의 욕망에도 때 묻지 않은 그 눈, 신을 찾는 것이 아니라 바로 그 눈을 통해 신이 나를 들여다보는 듯하던 그 눈을 나는 잊을 수 없다.

그 티벳 소년이 아니었다면 나는 그 뉴델리 호텔에서 죽음을 맞

216

이랬을지도 모른다. 꿈이 아니라면 죽음은 얼마나 고통스러운 것이며, 꿈이라면 죽음은 곧 꿈에서 깨어나는 것이리라.

그렇게 내 삶이 흘러갔다. 정처 없이. 다시 말하건대 이곳저곳 정처없이 떠돌아 다녀본 적이 없는 사람은 삶에 대해 아무것도 말할 수 없다.

> 길을 잃을 때면 달팽이의 뿔이
> 길을 가르쳐 주었네
> 때로는 빗방울이
> 때로는 나무 위의 낯선 새가
> 모두가 스승이었다
> 달팽이의 뿔이 가리키는 방향을 따라
> 나는 먼 나라 인도에도 다녀오고
> 그곳에선 거지와 도둑과 수도승들이
> 또 내게 길을 가르쳐 주었다
> 내가 병들어 갠지스 강가에 쓰러졌을 때
> 뱀 부리는 마술사가 내게 독을 먹여
> 삶이 한 폭의 환상임을 보여 주었다
> 그 이후 나는 영원히 입맛을 잃었다
> ──〈달팽이에게 길을 물어〉

그렇다. 길을 잃을 때면 달팽이의 뿔이 길을 가르쳐 주었다. 때로는 낯선 새가 나무 위에서 방향을 일러 주었다. 그것은 목적 없는 여행, 무목(無目)의 여행이었다.

늘 떠날 수밖에 없는 것

한 사람이 있었다.

그는 마을을 흘러가는 강물에 매혹되었다. 강물을 따라서 끝없이, 그 끝까지 내려가보고 싶었다. 강물이 바다와 만나는 지점까지 여행을 떠나고 싶었다.

그래서 그는 여행을 떠나기 전에 그 강을 탐색해 본 적이 있는 사람들의 경험을 토대로 강의 지도를 만들었다. 모순되는 것들을 추려내면서 자기딴에는 완벽한 지도를 만들었다. 마침내 그는 행복한 마음으로 지도를 들고 드디어 강을 따라 걸어 내려가기 시작했다.

당장에 문제가 찾아왔다. 그는 지도상으로 한 시간을 내려간 다음에 왼쪽으로 구부러질 계획이었다. 하지만 실제의 강은 지도와는 달랐다. 그는 당황하고 두려워하기 시작했다. 그동안의 공들인

노력이 헛수고가 될 판이었다. 강은 그가 만든 지도에는 전혀 개의
치 않는 듯했다. 강이 문제를 일으키고 있었다.

그는 배가 고프고 당황했다. 그가 작성한 지도는 현실과 맞지 않
았다. 어떻게 하면 좋을까? 조용히 혼자서 강을 걸어 내려가서 그
는 명상에 잠겼다. 그때 갑자기 한 깨달음이 일어났다. 강이 문제
를 일으키고 있는 것이 아니었다. 그의 지도가 문제였다. 강은 어
떤 문제도 일으키지 않고 있었다.

그는 지도를 강물에 집어던졌다. 그러자 모든 문제가 사라졌다.
이제 그는 강물을 따라 자유롭게 여행할 수 있었다. 어떤 기대도
할 필요가 없었다. 이제 그는 자신이 기대했던 것이 나타나지 않는
다고 해서 절망할 이유가 없었다.

> 고뇌하는 너의 가슴 속에만
> 영원(永遠)이 있다고 생각하지 말라.
> 모든 마당과
> 모든 숲
> 모든 집 속에서
> 그리고 모든 사람들 속에서
> 영원을 볼 수 있어야 한다.
> 목적지에서
> 모든 여행길에서
> 모든 순례길에서
> 영원을 볼 수 있어야 한다.
> ──묵타난다

지금까지 나는 목적 없는 여행, 또는 진정한 목적의 여행을 추구
했다. 저 길모퉁이를 돌아가고 저 들판을 넘어가면 무엇이 있을지
나는 몰랐다.

　어떤 삶이 나를 기다리고 있는지 그것을 나는 몰랐다. 다만 굳어
지고 안주하기 싫어서 떠날 뿐이었다. 정신이 굳어진다는 것은 얼
마나 무서운 일인가. 삶에서의 어떤 빛도 발견하기 전에 어둠에 익
숙해져서 그것을 빛으로 착각한다는 것은 나를 죽이는 일이다. 다
른 모든 것이 나를 죽일 수는 있어도 내가 나를 죽일 수는 없다.

　나는 죽음을 두려워하지 않는다. 다만 육체가 죽기 전에 정신이
죽음을 두려워할 뿐이다. 육체는 언젠가 흙의 원소로 환원되어 벌
레나 그밖의 것들을 통과할 수밖에 없다. 그것은 떨리는 일이지만
받아들일 수밖에 없다. 이 별에 태어나면서의 절대 명제였으니까.
그래서 나는 고대 중국의 도인들이 추구한 장생불사의 철학을 따
르지 않는다. 모든 육체는 어차피 벌레처럼 한 철만 살다 갈 수밖
에 없다. 그것이 육체의 운명이다.

　그 운명 속에는 내가 귀 기울여 들을 것이 있다. 듣지 않으면 안
들리지만 들으려고 할 때 갑자기 천둥처럼 귀를 때리는 것이 있다.

　그 찰나적인 유한성 속에서도 나는 영원한 빛을 발견하지 않으
면 안 된다. 죽음에 꺼져가는 내 눈동자 속에서 그 빛이 발견되어
야 한다. 그렇지 않으면 나는 우주의 빛과 하나가 될 수 없다.

　삶에는 두 가지 차원이 있다. 하나는 방황이고, 하나는 여행이
다. 내면의 방황이 끝날 때 삶의 진정한 여행이 시작된다. 끝까지
방황만 하다가 회색빛 하늘 아래서 죽을 수는 없지 않은가?

　다들 삶이 환상이라고 말한다. 그러나 그것을 내 식으로 바꾸면

220

이렇다. 삶은 여행이다. 내면의 여행. 여행이라는 사실을 잊을 때 우리는 스스로 환상을 만들고 그것에 집착한다.

　삶이 왜 환상이냐고 묻는 제자 나라다에게 스승이 그 이유를 가르쳐 주기 위해 여행을 떠났다. 여행 도중에 여러 날 사막을 건너게 되었는데 목이 무척 말랐다. 스승은 나라다에게 물을 떠오라고 시켰다.

　나라다는 그릇을 들고 사막을 헤매다가 한 집에 이르렀다. 문을 두드리자 집주인이 나와서 나라다를 맞이했다. 물을 얻어 마신 나라다는 집주인과 잠시 이야기를 나누게 되었다. 나라다가 자신의 여행목적에 대해 말하자 집주인이 말했다.

　"젊은 수행자여, 삶은 환상이 아닐세. 현실 속에 진리가 있고 깨달음이 있는 것이라네."

　집주인에게는 아름다운 딸이 하나 있었다. 나라다는 대화 도중에 그 딸을 눈여겨보게 되었다. 현실 속에 진리가 있다는 말에 수긍이 간 나라다는 결국 그 집에서 하룻밤 묵으면서 사위가 되어 달라는 집주인의 청을 받아들였다.

　세월이 흘렀다. 나라다는 결혼도 하고 자식도 낳고 가축도 토지도 불어났다. 그 속에서 그는 행복을 만끽했다.

　어느 해 여름, 홍수가 났다. 갑자기 큰 물이 밀어닥쳐 집도 떠내려가고 가축은 물론 자식들도 물에 휩쓸려 사라졌다. 아내 역시 나라다가 지켜보는 앞에서 순식간에 물길 속으로 빨려 들어갔다. 나라다는 간신히 헤엄을 쳐서 근처의 바위를 꽉 붙들었다.

　그때 뒤에서 스승의 목소리가 나라다의 귀를 때렸다.

"나라다여, 물을 떠오라고 시켰더니 왜 바위를 붙들고 앉아 있는가?"

나라다가 정신을 차리고 보니 태양이 뜨거운 사막 한복판에서 자기가 들고 갔던 물그릇은 옆에 놓여 있고 자신은 바위를 힘껏 붙들고서 떨고 있었다.

나라다는 비로소 삶이 환상임을 알게 되었다.

지금은 밤 두시. 삶은 과연 환상인가? 모래알처럼 작고 까만 날벌레들의 눈을 들여다본다. 너의 눈을 들여다보는 일말고 어떤 무엇이 나에게 삶의 정체를 말해 줄 수 있겠는가?

밤의 소리들이 들린다. 정적 속에 많은 소리가 있음을 깨닫는다. 유한한 삶을 사는 존재들이 지금은 잠들어 있다. 그들을 생각한다. 내가 만난 적이 있는 사람들과 그렇지 않은 더 많은 사람들······.

이 별에 여행을 와서 많은 사람을 나는 보았다. 그 중에는 육체적으로 힘든 일을 하는 사람도 있고 그렇지 않은 사람도 있다. 잠들면서까지 삶을 걱정하는 사람도 있고 잃어 버린 것, 또는 잃어 버릴 것에 대해 매달리는 사람도 있다. 영원을 보려는 사람과, 그럴 겨를도 없이 현실에 허덕이는 사람도 있다.

어쨌거나 우리는 결국 이 지구라는 별에 여행을 온 것이다. 그리고 동시에 이 별에서 함께 살아가는 모든 동식물들도 우리와 다를 것이 없는 여행의 동반자들이다.

우리가 여행 온 이 별은 모든 면에서 다른 별들에 비해 특별하다. 바다와 산이 있는가 하면 대도시들이 있고 가슴 뛰는 인간의 사랑이 있다. 그런가 하면 대규모 전투기들을 동원한 파괴와 살상이 있고, 정치인들의 광적인 집착이 있다. 또 종교인들의 어리석음이 있다.

그러나 어쨌든 그들도 우리와 함께 여행하는 여행자들이라는 사실에는 변함이 없다. 우리는 그들도 사랑할 수밖에 없다. 비록 그들이 여행 온 목적을 잊고서 물건 사는 일에 집착하는 여행자들과 같다고 해도.

오늘밤에도 북극성이 바람에 스친다. 나는 이 지구별에서의 여행이 끝나면 다시 그곳으로 갈 것이다. 어쩌면 이 생이 나에게는 지구별에서의 마지막 여행일지도 모른다. 그리고 그곳에는 나는 또다른 별로 떠나야 할 것이다. 늘 떠날 수밖에 없는 것, 그것이 여행자의 숙명이고 아름다움이다.

마지막 글

나에게 비밀이 하나 있었다

허공에 떠가는 붉은 잎

나에게 비밀이 하나 있었다. 오랫동안 간직해 온 비밀이.

어렸을 때 내가 살던 집 뒤에는 숲이 있고, 그 숲은 뒤쪽의 높은 산으로 이어져 있었다. 숲에는 새와 나무들이 많았다. 나는 곧잘 그곳에 가서 혼자 놀았다. 비가 내려도 그 숲은 젖지 않았다.

그 숲 가운데에는 빈터가 하나 있었다. 그다지 넓지 않은, 우리 집 마당 크기만한 빈터였다. 낮이면 나는 그곳 빈터로 가서 나무들의 꼭대기에서 비스듬히 내려비치는 햇살 속에 누워 있거나 그루터기에 앉아 노래를 부르곤 했다. 풍뎅이들이 날고 큰 날개의 새들이 숲 저편으로 꽂히곤 했다.

그러면 어디선가 물 흐르는 소리도 들렸다. 풀 대궁들을 자세히 들여다보면 벌레들이 풀잎만큼의 높이로 서둘러 내려가는 것이 보였다.

그곳에서 내 정신은 깊어졌다. 내가 이 세상에 태어나 최초로 한 철학적 사유는 놀랍게도 죽음에 관한 것이었다. 숲 뒤의 산쪽으로 조금만 올라가면 마을이 전부 내려다보이는 그곳에 무덤이 두 개 있었다.

그곳이 내 최초의 철학적 사유의 장소였다. 죽음은 나에게 두려움이기에 앞서 풀어야 할 신비였고, 인생의 모든 것이 그 신비 속에 녹아들어가 있는 듯했다. 무덤의 잔디밭에 다리를 뻗고 앉으면 멀리 아래로 마을이 보이고 그 너머의 논들과 강물이 보였다. 끝이 보이지 않는 구불구불한 강물 위로는 구름들이 낮게 떠가고 있었다.

그 강물이 어디서 와서 어디로 흘러가는지 나는 알고 싶었다. 그 강물을 따라 멀리까지 내려가 보고 싶었다. 그러나 그곳은 나에게는 너무 멀었다.

그 숲의 빈터에 가서 나는 놀곤 했다. 숲은 마을에서 약간 떨어져 있었기 때문에 사람들도 좀처럼 그곳을 지나가지 않았다. 이름 모를 들꽃들이 있고 햇살 속에 비스듬히 민들레 풀씨들이 날아다니는 그곳, 나무들은 내가 하늘을 보고 싶다고 하면 저의 품을 열어 내게 하늘을 보여 주었다.

때로는 갑자기 날씨가 변해 천둥 번개가 나무와 나를 더 가깝게 해주었다. 그 빈터에서 나는 왕이었고, 작은 우주의 지배자였으며, 더 많게는 꿈꾸는 어린 몽상가였다. 내가 사라지면 어머니가 그곳에서 나를 발견하는 것이 일상적인 일이 되었다. 숲 아래쪽의 집에서 저녁이면 어머니가 나를 소리쳐 불렀다. 아직도 어머니의 목소리가 내 기억 속에서 메아리친다.

"날이 어두워졌는데 너는 아직도 숲에 있구나! 넌 아직도 숲에 있어! 날이 어두워졌는데 아직도 숲에서 뭘 하는 거니? 숲이 무섭지도 않니? 날이 어두워졌는데 아직도 넌 숲에 있구나! 숲에 있어!"

어렸을 때는 슬퍼할 일이 그다지 많지 않다. 많은 신비한 것들이 정신을 빼앗기 때문이리라. 그러나 작은 슬픔이라도 어렸을 때는 우리를 한없이 깊어지게 한다. 집에서 키우던 개가 죽었을 때 나는 최초로 슬픔을 알았다. 나는 갑자기 무거워진 그 개를 숲의 빈터에 갖다 묻었다. 한동안 슬픔이 나를 지배했다. 그리고 슬픔만큼 나는 깊어졌다.

그리고 또 겨울이 오곤 했다. 눈이 내려서 숲을 덮고 숲의 빈터에도 새들이 날아오지 않았다. 먹을 것을 찾아서 새들은 마을의 골목길로 내려왔다.

겨울이면 나는 이따금씩만 그 빈터에 갔다. 나는 두꺼운 옷에 목도리까지 하고 있었지만 나무들은 몸을 가리던 이파리들을 모두 버린 뒤였다.

가끔씩 그곳에 가서 나는 뿌연 겨울 하늘을 배경으로 눈이 걸린 나무의 잔가지들을 바라보곤 했다. 개의 무덤도 눈에 덮이고 작은 개울은 군데군데 얼어 있었다. 그러면 또 어디선가 바람이 불어와 붉은 잎들을 하늘에 소용돌이치게 하곤 했다. 붉은 잎, 붉은 잎들, 하늘에 떠가는 더 많은 붉은 잎들. 나는 그 붉은 잎들을 쫓아 달려 가기도 했다.

그리고는 하루가 얼마나 길고
덧없는지를 느끼지 않아도 좋을
그 다음 날이 왔고
그날은 오래 잊혀지지 않았다
붉은 잎, 붉은 잎, 하늘에 떠가는 붉은 잎들
모든 흐름이 나와 더불어 움직여가고
또 갑자기 멈춘다
여기 이 구름들과 끝이 없는 넓은 강물들
어떤 섬세하고 불타는 삶을 나는 가지려고 했었다
그리고 그것을 가졌었다, 그렇다, 다만 그것들은
얼마나 하찮았던가, 여기 이 붉은 잎, 붉은 잎들
허공에 떠가는 더 많은 붉은 잎들
바람도 자고 물도 맑은 날에
나의 외로움이 구름들을 끌어당기는 곳
그것들은 멀리 있다, 더 멀리에
그리고 때로는 걷잡을 수 없는 흐름이
그것들을 겨울 하늘 위에 소용돌이치게 하고
순식간에 차가운 얼음 위로 끌어내린다
──〈붉은 잎〉

빈터의 비밀

어느 순간 갑자기 우리는 많은 것을 알아 버린다. 그러한 순간이 내게 찾아왔으니, 그것을 어떻게 표현하면 좋단 말인가?

어느 해 구월이었다. 밤 늦은 시간이 되어서 나는 혼자 그 숲으로 갔다. 밤에 내가 그곳에 간 것은 그때가 처음이었다. 잠을 자다 말고 갑자기 일어나 왜 그곳에 가게 되었을까? 그것은 어떤 계시였을까? 나는 바지를 껴입고 부시시한 눈으로 그 숲으로 갔다. 달이 하늘 한복판에서 눈부실 만큼 밝은 빛을 던져 주고 있었다. 나는 달빛에 감싸인 저만치의 숲을 바라보았다.

숲의 빈터로 들어서려던 나는 얼른 나무 뒤로 몸을 숨겨야 했다. 낮이면 내가 놀던 그 빈터에서 이상한 광경이 벌어지고 있었다. 온갖 동물들이 빈터에 모여 춤을 추고 있었다. 토끼, 여우, 사슴들이 마치 축제라도 벌이는 양 달빛이 내리비치는 그곳에서 즐겁게 뛰어놀고 있었다.

나는 숨을 죽이고서 몇 시간이나 그 광경을 지켜보았다. 그것은 환상이 아니었다. 달빛은 차라리 향기로웠다. 어떤 동물은 다른 동물과 이쪽저쪽으로 숨바꼭질을 하고, 어떤 동물은 그루터기에 올라서서 재주넘기를 하고 있었다. 어디선가는 음악이 들리는 듯했다. 나무들과 동물들을 감싸고 흐르는 은은하고 감미로운 음악, 그것은 물소리였을까, 아니면 하늘이 내는 소리였을까?

새벽 이슬에 젖어 집으로 돌아온 나는 꿈에서도 그 숲을 꿈꾸었다. 동물들이 숲의 빈터에 모여 춤을 추고 있었다. 그리고 꿈 속에서는 나도 동물들과 어울려 뛰어놀았다. 달빛이 내 머리를 비추고 음악이 나를 춤추게 했다.

그 밤에 내가 목격한 광경은 나에게 비밀이 되어 주었다. 나는 그 이야기를 아무에게도 하지 않았다. 그것은 나만이 간직한 비밀이었다. 나는 최초로 아무도 모르는 비밀을 간직한 사람의 눈을 갖게 되었다. 현실의 다른 것들은 그 눈에게 그다지 매력을 갖지 못했음은 말할 필요도 없다.

한번 비밀을 발견한 사람은 남몰래 그 비밀을 키우고 그것을 다시 또다시 즐기고 싶어한다. 밤이면 나는 숲으로 갔고 오랫동안 나무 뒤에서 숨을 죽이고 기다린 끝에 다시금 그 동물들의 춤을 구경하곤 했다. 또 어느 때는 고요한 숲의 빈터에 달빛만 뿌려질 뿐이었다.

그 밤의 숲에서 목격한 일을 누구에게 말할 수 있었겠는가? 그것은 내 삶의 최초의 비밀이 되었으며, 내 정신은 그 숲의 빈터에서 더욱 깊어져 갔다.

그러나 그 숲의 빈터에도 폐허가 찾아왔으니, 어느날 마을의 한 남자가 그곳에서 목을 매달아 죽었다. 사람들이 그 나무를 베어 버렸다. 그리고 그해 여름에는 장마가 닥쳐서 진흙덩이가 숲의 빈터를 차지하기도 했다. 그 이후 나는 그곳에 갈 수가 없었다. 나 역시 갑자기 나이가 들었으며 할 일이 많아졌다. 어쩌다 그 숲을 지나가야 할 때라도 나는 서둘러 뛰어서 통과해 가곤 했다. 숲은 서서히 내게서, 나의 삶에서 멀어져 갔다.

나는 그곳을 떠나 도시로 와서 학교를 다녔으며 숲의 빈터는 오래된 사진처럼 점점 색이 바래져 갔다. 그 이후 나는 삶에서 많은 일들을 겪고 많은 사람을 만났다. 밤새워 읽은 많은 책들, 더불어 숱한 생각이 내 머리 속을 지나갔다. 마치 당연한 일인 것처럼 인생의 상처들이 찾아왔다.

그러나 그때 이후 얼마나 자주 그 숲의 빈터가 내 마음 속에 떠올라 왔던가! 그 동물들의 달빛 속 춤은 예기치 않은 순간들마다에서 얼마나 생생하게 눈앞에 펼쳐졌던가!

때로 밤 늦도록 잠이 오지 않을 때 창문에 비치는 나뭇가지의 그림자가 나에게 불현듯 그곳을 일깨우곤 했다. 그러면 나는 벌떡 일어나 창문을 열어 보곤 했다. 그것을 잃어 버린 회한이 나를 아프게 하고 방황하게 했다. 내 모든 추구가 사실은 그날 구월의 숲에서 달빛 속에 훔쳐 보았던 광경을 되찾기 위함이었다고 고백하지 않을 수 없다.

더불어 고백해야 할 것은, 그 이후 나는 어떤 영원한 것을 찾아서 많은 길을 여행해 왔지만 결국 어린시절의 그 숲에서 한 걸음도 더 나아가지 못했다는 것이다. 어쩌면 젊은 날의 나는 젊은 날에 꿈꾸어서는 안 될 것들을 꿈꾸고 있었는지도 모른다. 우리를 삶에서 지쳐 쓰러지게 하는 것은 고독이나 가난이 아니라 남 모르게 간직한 비밀이 아니고 무엇이겠는가.

그렇더라도 그 비밀이 자주 나에게 다가와서 속삭인다. 다가와서는 나를 일깨우고 또 멀어져간다. 그래서는 아주 사라져 버린 듯하다가 어느 순간 또다시 달빛 속에 춤추며 다가온다. 그 숲이 내 안에서 둥글게 회전하며 떠올라온다. 나는 그 숲을 본다. 그러면 어느새 나는 그 숲의 빈터에 가 있다.

소나무숲과 길이 있는 곳
그곳에 구월이 있다 소나무숲이
오솔길을 감추고 있는 곳 구름이 나무 한 그루를
감추고 있는 곳 그곳에 비 내리는

구월의 이틀이 있다

그 구월의 하루를
나는 숲에서 보냈다 비와
높고 낮은 나무들 아래로 새와
저녁이 함께 내리고 나는 숲을 걸어
삶을 즐기고 있었다 그러는 사이 나뭇잎사귀들은
비에 부풀고 어느 곳으로 구름은
구름과 어울려 흘러갔으며

그리고 또 비가 내렸다
숲을 걸어가면 며칠째 양치류는 자라고
둥근 눈을 한 저 새들은 무엇인가
이 길 끝에 또다른 길이 있어 한 곳으로 모이고
온 곳으로 되돌아가는
모래의 강물들

멀리까지 손을 뻗어 나는
언덕 하나를 붙잡는다 언덕은
손 안에서 부서져
구름이 된다

구름 위에 비를 만드는 커다란 나무
한 그루 있어 그 잎사귀를 흔들어

비를 내리고 높은 탑 위로 올라가 나는 멀리
돌들을 나르는 강물을 본다 그리고 그 너머 더 먼 곳에도
강이 있어 더욱 많은 돌들을 나르고 그 돌들이
밀려가 내 눈이 가 닿지 않는 그 어디에서
한 도시를 이루고 한 나라를 이룬다 해도

소나무숲과 길이 있는 곳 그곳에
나의 구월이 있다
구월의 그 이틀이 지난 다음
그 나라에서 날아온 이상한 새들이 내
가슴에 둥지를 튼다고 해도 그 구월의 이틀 다음
새로운 태양이 빛나고 빙하시대와
짐승들이 춤추며 밀려온다 해도 나는
소나무숲이 감춘 그 오솔길 비 내리는
구월의 이틀을 본다
——〈구월의 이틀〉

삶이 나에게 가르쳐 준 것들

첫판 1쇄 펴낸날 · 1991년 8월 26일
2판 32쇄 펴낸날 · 1999년 11월 25일

지은이 · 류시화
펴낸이 · 김혜경
편집주간 · 김학원
기획실 · 김수진 조영희 선완규 지평님
편집부 · 한예원 임미영 고연경
디자인 · 김진 이열매
영업부 · 이동흔 엄현진
제 작 · 김영회
관리부 · 권혁관 임옥희 윤혜원
인 쇄 · 백왕인쇄
제 본 · 문원제책

펴낸곳 · 도서출판 푸른숲
출판등록 · 1988년 9월 24일 제 11-27호
주소 · 서울시 서대문구 충정로 3가 270
        푸른숲 빌딩 4층, 우편번호 120-013
전화 · (기획실) 362-4457~8 (편집부) 364-8666
        (영업부) 364-7871~3
팩시밀리 · 364-7874
http://www.prunsoop.co.kr

ⓒ 류시화, 1991

ISBN 89-7184-068-4   03810